As   Kirburg

M

Leben...

Eine Armenierin findet ihre Bestimmung

Asya Kyburz
Markus Richner

Lebenssinn
Eine Armenierin findet ihre Bestimmung

Bibliografische Information der Deutschen Nationalbibliothek:
Die Deutsche Nationalbibliothek verzeichnet diese Publikation in der Deutschen Nationalbibliografie; detaillierte bibliografische Daten sind im Internet über http://dnb.dnb.de abrufbar.

Lektorat: Heidi Henschel
Umschlaggestaltung: erika jakob design, Steffisburg
Umschlagbild: Daniel Kyburz
Portraitfoto: Mirjam Zurbrügg
Satz: Daniel Kyburz, www.kyburzwebdesign.ch

Herstellung und Verlag: BoD – Books on Demand, Norderstedt
ISBN 978-3-754345-44-3

Inhalt

1. Vorwort

Die unzähligen Flüchtlingsströme überall auf der Welt bewegen heute viele Gemüter. Zig Millionen Menschen sind an Leib und Leben bedroht oder werden auf unmenschliche Weise schikaniert. Sie alle sind unterwegs, um irgendwo auf dieser Welt einen Ort zu finden, der ihnen Schutz gewährt. Der Mensch sehnt sich aber nach sehr viel mehr als nach äusserer Sicherheit. Frauen und Männer suchen ein Zuhause, einen Ort, wo sie sich sicher und angenommen fühlen können.

Viel zu vielen Flüchtlingen bleibt es verwehrt, ein Zuhause zu finden. Andere hingegen schaffen einen Neuanfang, sehen ihre Kinder und Grosskinder aufwachsen und integrieren sich in ihrem neuen Land. Sie finden eine Arbeitsstelle, die ihnen zu einem angesehenen Wohlstand verhilft und haben nach Jahren sogar die Möglichkeit, ihr Ursprungsland ohne Risiko zu besuchen. Doch haben sie damit wirklich erreicht, was sie sich zutiefst in ihrem Herzen ersehnen?

Die Geschichte von Asya Kyburz beschreibt mehr als eine Flüchtlingsgeschichte. Obwohl ihre Geschichte durchaus bewegend ist, gibt es doch Millionen von Schicksalen, die genauso tragisch sind wie das ihre. Doch etwas macht ihre Geschichte besonders und das vorliegende Buch äusserst lesenswert: Asya hat mehr gefunden als einen sicheren Ort für einen Neuanfang. Sie hat auch weitaus mehr gefunden als ein echtes Zuhause und gute Freunde. Asya hat echte Lebensqualität gefunden! Etwas, wovon sie zuvor nicht einmal zu träumen gewagt hatte.

Am tiefsten Punkt ihres Lebens angekommen, erlebte sie eine unerwartete Wende. Die Geschichte, wie sie zu Heilung, innerer Zufriedenheit und letztlich zu ihrer Lebensbestimmung fand, ist nicht nur für Flüchtlinge und deren Freunde, sondern für alle Menschen, die sich nach dem Sinn des Lebens ausstrecken, eine grosse Inspiration.

Zum Schreiben dieses Buches sass ich stundenlang mit Asya zusammen, liess mir ihre Lebensgeschichte erzählen, stellte kritische und klärende Fragen und versuchte letztlich die richtigen Worte zu finden, um ihrer Geschichte gerecht zu werden. Oft rangen wir gemeinsam um die richtigen Formulierungen und entschieden uns auch immer wieder, gewisse tragische Erlebnisse wegzulassen, welche zum Verstehen ihrer Geschichte keinen zusätzlichen Nutzen gebracht hätten. Es war uns auch ein grosses Anliegen, nicht allzu ausschweifend zu werden und doch dem Wesentlichen genug Raum zu geben. In all diesem Arbeiten war es immer wieder die eine Sache, die mich begeisterte: Es gibt einen Gott, der jeden Menschen liebt und für alle eine einzigartige Bestimmung bereithält. Das Beste, das wir tun können, ist, uns nach diesem Gott auszustrecken und zu staunen, welchen Weg Er uns führen wird.

Lebenssinn: Der Titel dieses Buches ist ein Thema, das weit über die Geschichte von Asya hinausgeht. Auch wenn wir den Weg zum Entdecken echten Lebenssinnes in ihrem Leben sehr gut erkennen können, so wünschen wir uns doch, dass der Leser durch dieses Buch motiviert wird, seine eigene Bestimmung zu suchen.

Markus Richner August 2016

2. Im Wasser

Jahrelang verfolgte er mich, dieser Traum. Oder nein, es war kein Traum. Hierzu war er viel zu real. Es ist eher eine Erinnerung. Doch ist es wirklich eine Erinnerung? Das ist kaum möglich, denn ich sah mich darin als ein neugeborenes Baby.

Interessanterweise sah ich mich immer von aussen. Ich konnte mich in dieser Situation beobachten. Es war eine schreckliche Situation – doch woher kamen diese Bilder?

Ich war im Wasser. Starr vor Schreck! Die Angst lähmte mich. Ich kriegte keine Luft mehr und wusste, dass ich jeden Augenblick sterben würde. Es war, als würde mich das Wasser in die Tiefe ziehen. Unweigerlich hinabreissen in den Tod – und ich konnte nichts dagegen tun. Einfach gar nichts. Es war schrecklich.

Doch plötzlich griff eine starke Hand, die Hand eines Mannes, hinein ins Wasser und ergriff mich. Diese Hand zog mich aus den Fängen des Todes und hinaus aus dem Wasser. Kaum war ich draussen, veränderten sich meine Gefühle sofort. Plötzlich frische Luft, Durchatmen und das wunderschöne Gefühl von Sicherheit und Geborgenheit. Angst und Schrecken waren augenblicklich verschwunden und ein tiefer Frieden hatte mich erfüllt.

Eine komische Geschichte. Und doch war und bin ich in gewissem Sinne noch immer davon überzeugt, dass sich diese Begebenheit wirklich zugetragen hat. Bereits als kleines Kind begleitete mich die Erinnerung während vieler Jahre. Sie war so real und gleichzeitig so rätselhaft. Dann verblasste sie, um dann einige Jahre später genauso lebendig wieder zurück in meinem Bewusstsein zu sein.

Wie oft hatte ich mich gefragt, was dieser Traum, Erinnerung oder was auch immer es war, mir sagen wollte. Was war das nur? Konnte es die emotionale Verarbeitung meiner Erinnerung an meine schwierige Geburt sein? Jahre später hörte ich, wie sich meine Grossmutter und auch mein Vater um die Gesundheit und sogar um das Leben meiner Mutter Sorgen machten, als sie mit mir schwanger war. Bereits zuvor musste sie Operationen über sich ergehen lassen und litt noch immer unter ihrer Krankheit. Für das Leben meiner Mutter war ich wirklich ein Risiko. Doch konnte ich mich wirklich an meine Geburt erinnern? Konnte das wirklich möglich sein?

Und weshalb sah ich mich eigentlich von aussen? Für eine Erinnerung ist das sehr untypisch. Aber auch solche Träume sind genau so selten. Trotzdem war ich mir immer sicher, dass es sich bei diesem Baby um mich selbst handelte. Die Angst vor dem Sterben und das Fühlen, wie die Lebenskräfte nachlassen; all dies war nur allzu real.

Oder war es vielleicht eine Erinnerung an eine spätere Erfahrung? Konnte vielleicht ein Unfall passiert sein, als meine Eltern mit mir während meiner ersten Lebensmonate ans Meer gereist waren? Doch eine solche Geschichte konnte von niemandem bestätigt werden.

Jahrelang, bis in mein Erwachsenenalter habe ich mich gefragt, was dies genau war. Ein Traum oder eine Erinnerung? Oder vielleicht doch nur das Produkt meiner kindlichen Fantasie, so unmöglich mir dies zu sein scheint.

Bis heute kann ich nicht genau sagen, was es mit dieser Geschichte auf sich hat. Ich habe keine Ahnung, wie diese Erinnerung in meiner frühkindlichen Zeit in meine Gedanken kam. Doch auch wenn ich darüber noch immer meine Fragen habe, wurde mir diese

„Erinnerung" zum Bild für mein Leben. Es ist ein Leben, in dem ich mich verloren fühlte und keine Geborgenheit, dafür umso mehr Ängste und Unsicherheit erlebte. Und es ist die Geschichte meines Lebens, in der ich von einer starken Hand gepackt und in Sicherheit gebracht wurde, an einen Ort, wo ich mein wahres Zuhause fand. Und genau diese Geschichte möchte ich erzählen.

3. Kindheit

Ich hatte eine sehr schöne Kindheit. Auch wenn um mich her viele schlimme Dinge geschahen, erinnere ich mich aber doch fast ausschliesslich an schöne, ja, sehr schöne Dinge. Meine Eltern liebten mich über alles und drückten diese Liebe auch immer wieder auf verschiedene Weise aus.

„Du bist der Motor meines Herzens", sagte mein Vater oft.

„Wenn du kommst oder ich dich umarme, dann beginnt mein Herz höher zu schlagen." Damit drückte er aus, dass ich sein Herz bewegte und somit Grund und Freude seines Lebens sei. Das freute mich immer sehr! Ja, ich liebte es, der Motor des Herzens meines Vaters zu sein.

Auch meine älteren Geschwister, ein Bruder und eine Schwester, liebten mich sehr. Immer nahmen sie mich in ihre Mitte und taten alles, um mich zu verwöhnen, genauso wie meine Eltern. Stets suchte ich die Nähe meiner Mutter – viel mehr als meine Geschwister. Damit ich meinen Willen durchsetzen konnte, begann ich oft einfach zu weinen. Und es funktionierte. Meine Familie war ständig darum besorgt, mich zufrieden zu stellen.

Mein Vater tat alles, damit seine Familie gut versorgt war. Nichts sollte uns fehlen. Das war ihm extrem wichtig. Als Direktor einer Fabrik war er ein angesehener Mann, der sehr wohl genügend Geld verdienen konnte, um seiner Familie viele Annehmlichkeiten zu ermöglichen.

Armenien war damals noch Teil der Sowjetunion und somit ein kommunistisches Land. Auch mein Vater war ein richtiger Kommunist: mit allem was dazugehört. Eigentlich hätte es das System nicht vorgesehen, dass er ein höheres Einkommen erhielt als irgendeiner seiner Angestellten. Doch irgendwie, wie es in jener Zeit halt geschah, nutzte er seine Position aus, um zu mancherlei Extras zu kommen.

Wir hatten eine kleine Wohnung am Stadtrand, wo eher ärmere Leute lebten. Es sollte nicht allzu auffällig sein, dass wir mehr Geld hatten als andere. Trotzdem war unsere Wohnung sehr gut ausgestattet, besser als diejenigen unserer Nachbarn. So hatte mein Vater beispielsweise dafür gesorgt, dass wir immer warmes Wasser hatten.

Vater bestand auch darauf, dass Mutter ihre Arbeit als Architektin aufgab, um ganz für die Familie da zu sein. Für sie war dies nicht so einfach, denn sie liebte ihre Arbeit. Ihre Firma hatte auch wirklich viele sehr schöne Häuser gebaut. Doch wahrscheinlich war es besser so. Und für mich persönlich war es natürlich ein grosser Gewinn, Mutter immer, um mich zu haben.

Die Spannung, in welcher sich mein Vater befand, bekamen sogar wir Kinder zu spüren. Einerseits wollte er seine Familie versorgen und uns alles ermöglichen, was wir uns nur ersehnten. Andererseits musste er stets auf der Hut sein, um nicht etwa durch einen zu grossen Wohlstand aufzufallen.

Doch die Privilegien, die wir als Familie hatten, waren natürlich schon sehr willkommen. Jedes Jahr fuhren wir für einen Monat in die Ferien, manchmal auch länger. Wir reisten ans Meer, lebten in schönen Hotels und genossen unser Zusammensein. Stets waren wir in guten Hotels einquartiert.

Vater sagte immer, es sei nicht gut, wenn wir jemandem zur Last fallen würden. Niemandem wollte er etwas schuldig bleiben. Niemand sollte wegen uns Geld ausgeben müssen. Es mochte Vaters Stolz gewesen sein, selbst für alles aufkommen zu können. Und nach Möglichkeiten hatten wir auch immer die besten Einrichtungsgegenstände. Wir waren auch eine der wenigen Familien, die bereits Anfang der 60er Jahre stolze Besitzer eines Farbfernsehers war.

So schön und unbeschwert meine Kindheit auch war, nahm ich doch immer wieder die dunklen Schatten wahr, die uns umgaben. Meist waren es die Erzählungen meines Vaters, welche eine tiefe Wirkung auf mich hatten. Wahrscheinlich prägten mich diese Geschichten deshalb so stark, weil mein Vater beim Erzählen oft von Gefühlen überwältigt wurde. Es waren Geschichten von Stalin und wie dieser grausame Despot Menschen umbringen liess. Vaters Mutter, meine Grossmutter, kam bei einem mysteriösen Unfall ums Leben.

Einmal erzählte Vater eine Geschichte, die besonders schrecklich war: Stalins Leute zwangen russische Soldaten, deutsche Militäruniformen zu tragen, damit diese fälschlicherweise als Deutsche identifiziert werden würden. Dann gab er ihnen den Befehl, ein russisches Dorf dem Erdboden gleich zu machen und alle Bewohner zu töten. Das eigene Militär, das sich in der Uniform des Feindes tarnte! In der Folge schickte Stalin mehr Truppen, um die angeblichen Deutschen zu schlagen. Auf diese Weise vernichtete Stalin die Zeugen, die ihn wegen der Morde am eigenen Volk hätten blossstellen können. Mein Vater weinte, als er diese Geschichte erzählte. Heute vermute ich, dass er als Augenzeuge dabei gewesen war. Ich frage mich, welche Rolle er dabei gespielt hatte.

Die meisten Armenier waren von einem ausgeprägten Nationalstolz erfüllt. Interessanterweise war mein Vater da ganz anders. Er war sehr weltgewandt. Er sprach viele Sprachen, darunter Russisch, Georgisch, Ukrainisch, Polnisch, Deutsch und Türkisch. Er betonte immer wieder, dass alle Menschen gleich seien und keine Nation einer anderen überlegen sei. Er bemühte sich sogar darum, dass wir Menschen aus unterschiedlichen Nationen oder Religionen respektvoll behandelten. Er duldete es beispielsweise auch nicht, dass wir in der Familie armenisch sprachen, wenn wir Gäste hatten, die diese Sprache nicht beherrschten. Nein, dann mussten wir Russisch sprechen. Ein solches Verhalten war für einen Armenier alles andere als üblich. Diese Einstellung hat mich sehr geprägt und sollte für mein späteres Leben noch eine sehr wertvolle Eigenschaft werden.

Mein Grossvater wurde als Gefangener nach Sibirien verschleppt und mein Vater wuchs an unterschiedlichen Orten in der Sowjetunion auf. Die meiste Zeit seines Lebens verbrachte er ausserhalb Armeniens. Die Beziehung zwischen Vater und Grossvater war sehr schlecht. Grossvater war sehr fordernd und hielt sich nicht an Vereinbarungen. Wahrscheinlich war dies durch seine Geschichte bedingt, dass er sich oft nicht an Dinge erinnern konnte. Vater versuchte stets, seinem Vater alles recht zu machen, aber es war schwierig.

Ich erlebte, dass Vater und Mutter sich echt geliebt haben. Aber es waren wohl zu viele schwere Erlebnisse, die er nie verarbeiten konnte, die ihn ein Stück weit beziehungsunfähig werden liessen.

In meiner Kindheit spielte Grossmutter eine grosse Rolle. Oft war sie bei uns und unterstützte meine Mutter. Da Mutter unter gesundheitlichen Problemen litt, war diese Hilfe nur allzu willkommen. Nach einer Weile, als sich der Zustand von Mutter verschlechterte, zog Grossmutter sogar bei uns ein.

Meine Kindheit verbrachte ich wie auf einer Insel. Rundum war eine dunkle Welt voller Zerstörung und harter Schicksalsschläge. Und mitten darin war ich, mit meiner Familie, und genoss das Leben in vollen Zügen. Für mich war alles einfach wunderbar. Ich durfte ein Instrument erlernen und viele andere schöne Dinge tun. Besonders die Fürsorge meines Vaters liess mich wie eine Prinzessin fühlen. Immer war er besorgt, dass es mir gut ging. Er sorgte für die besten Plätze, wenn wir mit Zug oder Flugzeug unterwegs waren. Hierfür war er auch bereit, zusätzlich zu bezahlen. Oftmals gingen wir in ein Restaurant essen. Dabei achtete Vater sehr darauf, dass wir von schönem, sauberem Geschirr essen konnten. Und wenn er glaubte, dass das Geschirr nicht sauber oder das Essen nicht gut genug für seine Familie sei, konnte er die Bediensteten sogar auffordern, ihre Arbeit noch einmal zu tun.

Es war wirklich sehr schön, das kleine Mädchen meines Vaters zu sein!

Besonders beeindruckten mich auch immer die Besuche in der Kirche. Regelmässig ging ich mit meiner Mutter in die Armenisch Apostolische Kirche, welche in Europa fälschlicherweise oft mit der Orthodoxen Kirche verwechselt wird und wohl gewisse Ähnlichkeiten mit dieser haben mag. Das Ernsthafte und Feierliche sprach mich irgendwie sehr an.

Grossmutter zitierte auch oft aus der Bibel, welche in ihrem Leben eine grosse Bedeutung zu haben schien. Wir waren Christen. Zumindest Grossmutter, Mutter und ich. Vater kam nie mit in die Kirche. Als Kommunist machte man das nicht. Wahrscheinlich war es auch der Wunsch, unerkannt zu bleiben, der meine Eltern dazu bewegte, mich in einem anderen Land, weit weg von zu Hause, zu taufen. Und ich glaube, dass mein Vater bei diesem Anlass dabei war. Ob er damit meiner Mutter eine Freude machen wollte? Oder glaubte er am Ende doch, dass es einen Gott gibt? Er hätte dies mit Sicherheit nicht zugegeben, zumindest nicht öffentlich. Denn schliesslich galt mein Vater als Kommunist. Es kann gut sein, dass meine Taufe gerade deshalb so weit von zu Hause stattfand, damit mein Vater nicht plötzlich von einem Vertreter der Kommunistischen Partei erkannt werden konnte. Ich weiss es nicht.

Doch auch zu Hause hatte Vater keine Einwände, dass Mutter und ich zur Kirche gingen. Er war nur darum besorgt, dass wir nichts taten, was uns gesundheitlich schaden könnte. So sollten wir beispielsweise die Hand des Priesters aus hygienischen Gründen nicht küssen. Beim Empfang der Eucharistie küssten die Leute üblicherweise seine Hand. Da ich Vaters verbietende Stimme immer in mir hörte, vermied ich es stets, die Hand des Priesters zu küssen. Ich tippte seine Hand einfach mit der Nase an.

Uns wurde eine grosse Ehrfurcht vor Gott und allem Heiligen gelehrt. Wir wurden beispielsweise dazu angehalten, einem Kruzifix niemals den Rücken zuzuwenden. Es galt, dem Kruzifix immer das Gesicht zuzuwenden. Wer sich vor das Kruzifix gestellt hatte, musste sich also rückwärtsgehend wieder entfernen.

Ich war getauft und ging regelmässig zur Kirche. Damit war ich Christin. Das war mir bereits als kleines Mädchen klar. Und während der nächsten Jahrzehnte kam es mir nie in den Sinn, diese Tatsache in Frage zu stellen.

4. Jugend

Jeden Morgen ging ich zur Schule, um mich auf mein künftiges Leben vorbereiten zu lassen. Dies war für alle Kinder obligatorisch. Bei uns in Armenien gab es neben der offiziellen aber auch noch andere Schulen, welche wahlweise besucht werden konnten. Es handelte sich dabei um eine Art Akademie, in welchen man sich anmelden musste, um sich in beliebigen Disziplinen zu bilden. Meine Mutter war sehr darauf bedacht, dass wir drei Kinder entsprechend unseren Begabungen und Neigungen gefördert wurden.

Nachdem ich jeweils um 14 Uhr nach Hause kam, ging mein Programm nahtlos weiter. Dreimal in der Woche ging ich zur Musikschule, welche jeweils von 14 Uhr bis 17 Uhr dauerte. Dort lernte ich Klavierspielen. Eigentlich hätte ich lieber Geige gelernt, doch meine Mutter liess dies nicht zu, obwohl ich mich mit einer Prüfung für den Geigenkurs qualifiziert hatte. Also blieb ich beim Klavier. Die Musikschule dauerte sieben Jahre und ich wurde intensiv in Musikgeschichte, Komposition, Gesang und Solfeggio unterrichtet. Jedes Jahr hatte ich Prüfungen, um mich fürs folgende Schuljahr zu qualifizieren.

Nebst der normalen Schule und der Musikschule besuchte ich elf Jahre lang die Tanzschule. Mehrmals pro Woche hatte ich diese Kurse von 18 Uhr bis 21:30 Uhr. Mein Pensum war wirklich gross und heute frage ich mich oft, wie ich all diese Herausforderungen meistern konnte. Doch nicht nur für mich, sondern auch für meine Familie stellte mein Wochenplan eine Belastung dar. So musste beispielsweise mein Bruder mich immer zum Tanzen und wieder zurückbegleiten. Dies war zu meiner Sicherheit. In Eriwan war es für ein Mädchen unangebracht, abends allein unterwegs zu sein. Es ist verständlich, dass sich mein Bruder auch gegen diese Verpflichtung auflehnte. Schliesslich glaubte er, Besseres zu tun zu haben, als mich jede Woche an mehreren Abenden heim begleiten zu müssen.

Im Gegensatz zu westlichen Ländern wurden Aktivitäten wie Musik oder Tanzen in Armenien nicht etwa als angenehme Freizeitgestaltung betrachtet, sondern als eine Investition für die Zukunft. Es war klar, dass durch diese Aktivitäten eine Weichenstellung für die Zukunft gelegt würde. In der ganzen Sowjetunion investierten sich die Kinder nicht etwa zu ihrem privaten Nutzen in diese Dinge, sondern sollten ihre erlernten Fähigkeiten dann auch der Gesellschaft zur Verfügung stellen. Jedem Kind wurde das Ziel vorgeben, diese Disziplin später professionell zu verfolgen.

Über Jahre hinweg, waren meine Aktivitäten so zeitraubend, dass ich für meine Hausaufgaben oft keine Zeit fand. Ich erinnere mich, dass meine Mutter und auch meine zwei Geschwister meine Hausaufgaben erledigten. Mehrmals weckte mich meine Mutter sehr früh am Morgen, um mit mir den Stoff durchzugehen, welcher in der Prüfung am selben Tag abgefragt werden würde. Ich hatte einfach keine Zeit zum Lernen gefunden.

Es gab auch Aktivitäten, welche für alle Kinder obligatorisch waren. So musste ich zum Beispiel lernen, mit Kalaschnikows zu schiessen. Eine Fertigkeit, welche ich am Ende ziemlich gut beherrschte. Sechs Tage pro Woche hatten wir Schule, die offiziell um acht Uhr begann. Wir mussten uns aber schon um halb sieben zum Sporttraining einfinden. Normalerweise trainierten wir dabei Leichtathletik, Volleyball und vieles andere.

Vor den Nationalfeiertagen wurde uns in dieser Zeit jeweils beigebracht, wie wir in Formation und Gleichschritt gehen mussten. Gemeinsames Bewegen im Gleichschritt, Tragen von Flaggen und viele andere Dinge mussten bis ins letzte Detail eingeübt werden. Diese Trainings dauerten oft Monate, bis die Lehrer glaubten, dass wir ein genügend gutes Bild für die Öffentlichkeit abgeben würden. Nicht nur in Armenien, sondern in der ganzen Sowjetunion waren derartige Präsentationen üblich. In riesigen Veranstaltungen zogen die einzelnen Schulen dann an hohen Staatspersonen vorbei und stellten dabei die Disziplin, Grösse und Fähigkeit der jeweiligen Schule zur Schau. Es konnte durchaus vorkommen, dass der sowjetische Parteivorsitzende dadurch gewürdigt wurde. Das Aufmarschieren vor hohen kommunistischen Funktionären und besonders auch vor dem damaligen Staatsoberhaupt, dem Ersten Sekretär Leonid Breschnew, blieb mir in lebendiger Erinnerung. Von der ersten Klasse an musste ich am Sportunterricht teilnehmen und ab der fünften Klasse in der Formation mitmarschieren.

Grundsätzlich herrschte in unseren Schulen sehr viel Disziplin. Es war üblich, dass wir Kinder geschlagen wurden – und dies nicht nur als Strafe. Manchmal wurden Schüler mit Schlägen zu höheren Leistungen angetrieben. Einmal hatte mich meine Russischlehrerin mit aller Kraft auf den Kopf geschlagen. Damit war dann aber doch eine Grenze überschritten und meine Eltern schalteten sich ein, um die Lehrerin in ihre Schranken zu weisen. Die Intervention zeigte Wirkung. Die Lehrerin erhielt die Kündigung.

Einmal kam ich mit ein paar Freundinnen einige Minuten zu spät zum Unterricht. Der Direktor stellte uns zur Rede. Wir mussten uns an die Wand stellen und seine Tiraden über uns ergehen lassen. Drohend stellte er sich vor mich hin und fauchte mich an:

„Was ist das für eine Kleidung? Du trägst ja gar nicht schwarz!"

In den Schulen in Armenien herrschte ein strenger Dresscode. Wir mussten einen schwarzen Rock und ein weisses Hemd tragen. Der Rock erregte nun den Zorn des Direktors. Erschrocken blickte ich auf mein Kleidungsstück: Es war schwarz. So nahm ich all meinen Mut zusammen und hielt dem Direktor entgegen: „Aber… das Kleid ist doch schwarz."

„Was? Du wagst es, mir zu widersprechen!" donnerte er mich an und holte mit der Hand zum Schlag aus. Schnell wich ich zur Seite und schlug dabei mit dem Kopf an der Wand an. Ich spürte, wie eine Wut in mir hochkam. Das war einfach nicht richtig. Ich durfte nicht für etwas bestraft werden, das ich gar nicht verschuldet hatte.

Und ich hörte ihn sagen: „Was fällt dir ein! Ich will deinen Vater sprechen."

Als ich meinem Vater von diesem Vorfall berichtete, kam er dem Wunsch des Direktors nach und traf sich mit ihm zu einem längeren Gespräch. Er beschwerte sich bei dem Direktor über dessen Verhalten mir gegenüber, stiess jedoch auf taube Ohren. Es wurde mir befohlen, das zweifelhafte Kleidungsstück, welches durchaus der Kleiderordnung entsprach, abzulegen.

In der Folge hatte ich aber immer wieder meine Auseinandersetzungen mit dem Direktor. Mein Widerstand mag ihn provoziert haben, genauso wie ich von seinen ungerechten Behandlungen zutiefst angewidert war.

Der Direktor der Schule hatte seine eigenen Methoden, den Schülern Disziplin beizubringen. Wenn beispielsweise Mädchen nicht im Unterricht erschienen, rief er deren Eltern an und behauptete, dass sie sich mit Jungs im Wald herumtreiben und sich zu unsittlichen Handlungen hinreissen lassen würden. Als er diese Masche einmal mehr abziehen wollte, geriet er in Erklärungsnotstand. Während er nämlich der Mutter des abwesenden Mädchens von deren angeblichen Herumtreiben berichtete, stand dieses unmittelbar neben der telefonierenden Mutter.

„Wie können Sie es wagen, so schlechte und unwahre Dinge über meine Tochter zu erzählen", protestierte diese sehr erzürnt.

„Sie steht direkt neben mir und hat mit all Ihren Anschuldigungen nichts zu tun. Sie ist krank und konnte deshalb am Unterricht heute nicht teilnehmen. Was Sie da tun, ist nichts anderes als Verleumdung!" Da blieb dem Direktor nur noch übrig, sich für das „Missverständnis" zu entschuldigen. Doch jetzt kamen seine vielen anderen Verleumdungen und Schikanen ans Licht, und als Konsequenz musste er seine Stellung in dieser Schule aufgeben.

Es versteht sich von selbst, dass ich nicht jeden Tag Zeit zum Spielen fand. Diese Zeiten genoss ich dann aber immer in vollen Zügen. Mit anderen Kindern spielten wir zwischen den Häusern, hüpften herum. Meist waren es einfache Spiele ohne teures Spielzeug, welche uns stundenlang vergnügt sein liessen. Die Gemeinschaft mit Kameradinnen genoss ich sehr. Die Pausen zwischen den Schulstunden waren mir besonders lieb. Das waren hervorragende Gelegenheiten für uns Mädchen, uns auszutauschen, zusammen zu essen und auch viel zu lachen. Da meine Eltern wohlhabend waren, genoss ich auch für die Freizeitgestaltung etliche Privilegien. Bereits als wir klein waren, nahmen uns meine Eltern mit zu Konzerten oder ins Theater. Auch der Besuch von Kinos war mir schon früh vertraut. Ich liebte es über alles, wenn wir uns als Familie zu solchen Ereignissen aufmachten. Das waren immer wieder echte Highlights!

Als ich grösser wurde, bezahlte mein Vater auch dafür, dass ich mit Kameradinnen ins Theater oder ins Kino gehen konnte. Und natürlich besuchten wir leidenschaftlich gerne Konzerte. Da mir Musik sehr viel bedeutete, genoss ich es über alles, hochkarätigen Musikern zu lauschen.

In der Musikschule war ich sehr eifrig und wahrscheinlich liegt mir die Musik auch von Natur aus bereits im Blut. Jedenfalls entdeckte meine Lehrerin ein Talent in mir, das sie letztlich dazu bewog, mir den Weg zu öffnen. Ich sollte an einem grösseren öffentlichen Konzert einen Beitrag leisten. Nebst anderen jugendlichen Musikern, allesamt deutlich älter als ich, durfte ich auftreten. Ich war damals erst in der vierten Klasse. Das war eine sehr grosse Ehre. Meine Mutter kaufte mir für diesen Anlass ein spezielles, in meinen Augen extrem schönes Kleid. Der Tag des Konzerts kam – ich war sehr, sehr aufgeregt. Drei Stücke hatte ich auf dem Klavier vorzutragen und ich hatte grosses Lampenfieber. Doch es klappte und ich war sehr erleichtert. Und als die Leute dann stürmisch applaudierten, war all meine Unsicherheit und Nervosität vergessen.

Was ich nicht wusste war, dass eine Frau von der Zeitung unter den Zuhörern war, die eine Rezension des Konzertes schreiben sollte. Meine Mutter und auch andere waren über ihr Kommen informiert, hatten aber wohlweislich darauf verzichtet, es mir zu sagen. Das war bestimmt besser so, denn hätte ich es gewusst, wäre ich noch viel nervöser gewesen.

Wir alle staunten nicht schlecht, als mein Name am folgenden Tag in der Zeitung abgedruckt war. Es wurde über das kleine Mädchen, Asya Hovsepyan berichtet, welches drei Stücke hervorragend und fehlerfrei vorgetragen hatte. Ich war sehr stolz!

Meine Musiklehrerin war zuweilen sehr streng. Doch sie hat mir nicht nur beigebracht, ein Instrument zu spielen, sondern auch vor Menschen aufzutreten. Diese Schule war für mein Leben sehr hilfreich und heute bin ich der Lehrerin für ihren Einsatz sehr dankbar.

5. Universität

Mit Wehmut gab ich meine Karriere als Tänzerin auf. All die Jahre hindurch hatte ich das Tanzen über alles geliebt. Doch jetzt war es einfach zu viel. Meine Familie übte immer mehr Druck auf mich aus, dass ich mein riesiges Engagement, welches für alle eine Belastung darstellte, doch endlich reduzieren sollte. Ich hatte mich für ein Studium an der Universität entschieden und musste wohl oder übel einsehen, dass ich schlichtweg nicht in der Lage war, die Zeit für die Tanzkurse weiterhin aufzubringen.

Mein Traum war es, ein Biologiestudium zu absolvieren. Zu Ende meines letzten Schuljahres zeigte sich aber, dass meine Schulnoten nicht gut genug waren. Die Anforderungen für Biologie waren, im Vergleich mit anderen Disziplinen, extrem hoch. Ich war sehr enttäuscht. Sorgfältig hatte ich mich bereits auf dieses Studium vorbereitet, mir einen gründlichen Überblick verschafft und mich auch schon als Biologin gesehen. Doch daraus wurde nichts. Ich hatte aber keinen Plan B, keine Vorstellung, was ich stattdessen studieren könnte.

Eine Bekannte meines Vaters, welche an der Universität für Veterinärmedizin arbeitete, wies auf die Möglichkeit dieses Studiums hin. Für den Eintritt war eine umfangreiche Prüfung erforderlich. Dabei wurde sogar in Aussicht gestellt, dass die angehenden Studenten bei hervorragenden Noten das Studium in Biologie beginnen könnten. Das klang doch schon mal gut. Ich strengte mich wirklich sehr an, doch es reichte nicht. Die Türe für ein Biologiestudium hatte sich erneut geschlossen. Immerhin waren meine Noten gut genug, um Tiermedizin zu studieren. Und so begann ich 1982 mein Studium in Veterinärmedizin – allerdings ohne grosse Begeisterung. Tierärztin zu studieren war nicht mein Traum. Es war nur eine akzeptable Notlösung. Der Eintritt in diese Universität bedeutete eine Weichenstellung in meinem Leben, die mich aber auf ein falsches Gleis führte. Während ich bis dahin ein unbeschwertes Leben, frei von Problemen, geführt hatte, sollten in Kürze grosse Schwierigkeiten auf mich zukommen.

Die Anforderungen im Studium waren sehr gross. Unzählige Fachausdrücke mussten gelernt werden. Von der menschlichen Anatomie bis zu derjenigen von Mäusen galt es, alle Knochen, alle Organe, einfach alles in der richtigen Terminologie erklären zu können.

Am Ende des zweiten Semesters waren meine Noten nicht genügend.

In Armenien war es damals üblich, verantwortliche Personen der Universitäten auf unterschiedliche Art zu bestechen, um einen Studienplatz zu erhalten. Sehr viele von ihnen waren durch grosszügige Geschenke sehr leicht bestechlich.

Auch mein Vater wollte diesen Weg nicht unversucht lassen und ging mit mir zu der entsprechenden Professorin. Doch weder unsere Überredungskünste noch das grosszügige Geschenk, welches mein Vater anbot, fruchteten etwas. Die Professorin wollte mir keine Chance geben.

„Nein", sagte sie. „Ich kann wirklich nichts für Asya tun. Daran vermag auch euer Geschenk nichts zu ändern. Ihr bleibt nichts anderes übrig, als mehr zu lernen und eine Nachprüfung abzulegen. Das ist ihre einzige Chance."

Das war ein harter Schlag für mich. Bis anhin war ich gewohnt, dass es immer irgendeinen Weg gab – selbst dann, wenn ich mich nicht allzu sehr anstrengte. Meine Familie hatte sich immer für mich eingesetzt und besonders der Einfluss meines Vaters hatte vermocht, alle nötigen Türen zu öffnen. Diese Erfahrung wich jetzt einer grossen Ernüchterung. Ich war es einfach nicht gewohnt, meinen Willen nicht durchsetzen zu können.

Jetzt musste ich alle meine Kräfte investieren, um das Studium fortführen zu können. Ich lernte sehr viel und bestand die Nachprüfung schliesslich mit guten Noten.

Zu meinem Studium gehörten auch praktische Experimente. Einmal lernten wir, Tieren eine Narkose zu verabreichen. Dabei sollte auch getestet werden, wie viel der Narkosemittel für die

Tiere verträglich war. Es war eindrücklich zu sehen, wie die Tiere ab einer gewissen Dosis zu zittern begannen. So war es auch, als es an mir war, einem Hasen das Narkosemittel zu geben.

„Hovsepyan, gib mehr!" Forderte mich der Professor auf. „So wirst du sehen, was das Tier in der Lage ist zu ertragen."

„Aber Professor", wandte ich ein. „Das Tier hat schon körperliche Reaktionen gezeigt. Eine grössere Dosis könnte es umbringen."

„Das gilt es ja gerade herauszufinden. Also gib schon mehr!"

„Nein, das tue ich nicht!" begann ich mich jetzt offen zu weigern. Gegen Tierquälerei war ich sehr allergisch. Und ich mochte es nicht leiden, wenn ich dazu gezwungen werden sollte. Ich legte die Spritze nieder und trat zurück.

„Was fällt dir ein!" fuhr der Professor mich an. „Wenn du dich weigerst, meine Anweisungen zu befolgen, wird das für dich sehr schwerwiegende Konsequenzen haben. Ich werde dir für diesen Kurs keine genügende Note geben!"

Ich spürte, wie die Wut in mir hochkam, und war nach dieser Drohung erst recht gewillt, meine Kooperation zu verweigern. Der Professor wurde daraufhin sehr, sehr wütend und jagte mich aus dem Raum. Dabei beleidigte er mich mit Schimpfwörtern, die ein Professor nicht in den Mund nehmen sollte.

Während ich voller Zorn durch den Korridor davon stampfte, verwünschte ich meinen Professor. „Möge er genau das erfahren, was er diesen Tieren antut!" Einige meiner Kameradinnen hörten von meinem Zornausbruch und den Verwünschungen gegen diesen Professor. Ungefähr eine Woche später kamen diese Studentinnen auf mich zu und fragten mich: „Asya, mit welchen Worten hast du den Professor verwünscht?"

„Weshalb?" fragte ich. Mein Zorn hatte sich längst schon gelegt. „Warum ist das jetzt noch wichtig?"

„Der Professor ist gestorben", antworteten sie.

Ich erschrak. Und als ich ihnen meine Worte wiedergab, sah ich ihren Gesichtern an, dass auch sie sich sehr entsetzten.

„Was ist denn los?" fragte ich. „Woran ist der Professor denn gestorben?"

„Er ging zu einer Operation ins Krankenhaus. Dort verabreichten sie ihm die falsche Dosis Narkosemittel. Als Folge davon ist er nicht wieder aufgewacht!"

„Aber", versuchte ich einzuwenden. „Ich habe doch niemals gewünscht, dass er sterben sollte. Er sollte nur an seinem Leib etwas von dem Schmerz erfahren, den wir den Tieren antun. Und überhaupt: Ich habe doch nur meinem Zorn Luft gemacht."

„Asya. Deine Worte sind wahr geworden!" Hielten die Studentinnen fest. Diese Worte trafen mich. War es denn wirklich möglich, dass ich durch meine Worte den Tod des Professors bewirkt hatte?

Diese Sache ging mir wochenlang nach. Der Gedanke, dass durch unbedachte Aussagen Menschen zu Schaden kommen können, war erschreckend. Das schlechte Gewissen plagte mich, weil ich glaubte, dass es meine Schuld war. Und dann rechtfertigte ich mich wieder damit, dass er dies ja wirklich selbst verschuldet hat, indem er so viele Tiere quälte. In meiner jugendlichen Unreife konnte ich diese Erfahrung unmöglich einordnen.

Es gab während meiner Zeit an der Universität aber auch Erlebnisse, die mich sehr positiv berührt haben. Einmal kam mir ein sehr wertvoller Ring abhanden. Mein Vater hatte ihn mir beim Abschluss der Schule geschenkt. Als ich der Dekanin Meldung machte, reagierte diese sehr betroffen und rief die ganze Studentenschaft zusammen. „Asya Hovsepyan hat einen sehr wertvollen Ring verloren", informierte sie die versammelten Studenten. „Ich bitte euch, den Ring zurückzugeben."

Und tatsächlich wurde der Ring, der mindestens zwei Monatslöhne wert war, zurückgegeben. Die Dekanin bat mich, darauf zu verzichten, den Schuldigen auszumachen. Und weiter legte sie mir ans Herz, den Ring nicht mehr in die Universität mitzunehmen. Diesen Rat befolgte ich sehr gerne.

In jeder Universität war es obligatorisch, die atheistischen Lehren des Kommunismus auswendig zu lernen. Obwohl sich mein Inneres sträubte, beugte ich mich doch und lernte eifrig. Ich konnte es damals nicht so richtig einordnen, aber irgendetwas schien mir so falsch an diesen Philosophien zu sein. Der ganze Kommunismus war mir schon immer zuwider gewesen. Und ich äusserte mich auch immer wieder kritisch dagegen. Meinem Vater gegenüber kündete ich sogar mehrmals das Ende der Sowjetunion und auch des kommunistischen Regimes an. Es war für mich schlicht unvorstellbar, wie eine solche Doktrin langfristig würde Bestand haben können. Schliesslich stellte mich mein Vater besorgt zur Rede.

„Asya, bitte höre auf, schlechte Dinge gegen den Kommunismus zu reden", bat er mich inständig. „Du kennst meine Funktion in der kommunistischen Partei und deine Äusserungen bringen mich am Ende noch ins Gefängnis."

Nein, meinen Vater ins Gefängnis zu bringen, war mit Sicherheit nicht meine Absicht. Trotzdem fiel es mir immer wieder schwer, meine Worte mit Bedacht zu wählen.

Ein sehr einschneidender Zwischenfall geschah, als unser Staatsoberhaupt Leonid Breschnew im November 1982 starb. Funktionäre der kommunistischen Partei brachten diese traurige Nachricht persönlich an unsere Universität. Traurig war dies zumindest für die überzeugten Kommunisten – jedoch nicht für mich. Ich hatte die Todesnachricht noch nicht gehört und freute mich gerade sehr am Leben! Ich freute mich so sehr, dass ich in der Pause lachend und tanzend über den Platz hüpfte und dabei direkt in die Hände des Parteileiters geriet. Er war selbst noch Student, leitete als solcher aber die Studentenvertretung der kommunistischen Partei an der Universität.

„Was ist mit dir los!" fuhr er mich an. „Breschnew ist gestorben und das ist ein trauriger Tag! Bitte erweise Respekt und höre auf zu lachen. Heute ist ein Trauertag, es ist der Todestag von Breschnew." Das klang in meinen Ohren derart gestelzt, dass ich erneut loslachte, was den Parteifunktionär verständlicherweise sehr erzürnte.

„Was fällt dir ein!" schimpfte er. „Ich will sofort mit deinem Vater sprechen."

Dies verweigerte ich mit der Angabe, dass ich bereits volljährig sei und daher tun und lassen könne, was ich wollte. Er solle meinen Vater wegen meiner persönlichen Überzeugungen nicht belästigen. Wütend gingen wir auseinander. Das heisst: Der Parteileiter war wütend. Ich selbst war mehr amüsiert als wütend. Das muss ihm wirklich sehr respektlos vorgekommen sein. Der Name dieses jungen, überzeugten Kommunisten war Lewon Minasyan. Zu diesem Zeitpunkt hatten wir keine Ahnung, dass wir uns viele Jahre später in ganz anderen Sachen wieder gegenüberstehen würden.

Am Ende des ersten Studienjahres kam eine Freundin auf mich zu.

„Hey Asya", flüsterte sie mir zu. „Da ist dieser Typ dort drüben.

Er heisst Varuschan. Der ist in dich verliebt, er steht auf dich."

„Und woher weisst du das? Der kennt mich ja kaum." Ich hatte meine Zweifel. Der junge Mann war stets etwas im Hintergrund und ich wäre nie auf die Idee gekommen, dass er ein Auge auf mich geworfen hätte. Doch ihre Information war sehr wohl richtig und langsam begann er, sich mir auch zu nähern. Es dauerte aber mehrere Monate, bis er mich zum ersten Mal ansprach. Plötzlich stand er neben mir und bot an, mich nach Hause zu begleiten.

Von diesem Tag an gingen wir oft nebeneinander und kamen so ins Gespräch. So kamen wir uns näher und waren bald schon ein Paar. Liebe erwachte – oder zumindest etwas, das sich wie Liebe anfühlte. Wir stritten sehr viel. Schon von Anfang an. Wir hatten durchaus auch gute Zeiten zusammen, doch oftmals war es ziemlich anstrengend. Die Tatsache, dass Varuschan sich über Monate hinweg weigerte, mir seine Mutter vorzustellen, war auch sehr sonderbar. Als ich sie dann endlich einmal traf, erinnerte ich mich sofort, sie schon einmal gesehen zu haben. Es war der Tag gewesen, als ich meinen Ring verlor. Ich erinnere mich noch sehr gut, wie ich diese Frau an jenem Tag erblickte. Sie wirkte so kalt und distanziert, ja richtig unheimlich. Es war die Art von Frau, die mich innerlich erschauern liess. Und genau diese Frau war Varuschans Mutter. Ich erschrak zutiefst.

Was sollte ich nur davon halten? Sollte diese Frau wirklich meine Schwiegermutter werden? Ein äusserst unangenehmer Gedanke. Dann sagte ich mir aber, dass ich Varuschan liebe und sich alles andere dann doch irgendwie ergeben würde. Die Angst vor dieser Frau blieb jedoch. Für mich war es sehr ungewohnt, einen Menschen zu fürchten. Stets konnte ich meinem Gegenüber in die Augen blicken, selbst dann, wenn sich dieses mir gegenüber drohend aufführte. Doch diese Frau löste bei mir Angst aus. In ihrer Gegenwart fühlte ich mich sehr unwohl und war immer froh, wenn sie nicht in der Nähe war.

Die Beziehung mit Varuschan vertiefte ich aber weiterhin.

6. Varuschan

Drei Jahre war ich nun mit Varuschan zusammen. Wir erlebten viele gute Zeiten, doch auch immer wieder schwierige. Oft habe ich mir überlegt, ob es wirklich ein guter Entscheid sein würde, mich auf eine Ehe mit ihm einzulassen. Ich war zutiefst verunsichert. In Armenien war es damals nicht üblich, dass unverheiratete Paare miteinander schliefen. Varuschan und ich wurden jedoch schwach und hatten schon früh Geschlechtsverkehr. Nach diesem „Ausrutscher" schien es uns, als sei unsere Liebe füreinander erloschen. Die Scham, welche wir empfanden, machte alle romantischen Gefühle unmöglich. Wir dachten sogar schon daran, uns zu trennen – bis wir feststellten, dass ich schwanger war.

Besonders schlimm war Varuschans Reaktion auf meine Nachricht, schwanger zu sein. „Wie kann ich wissen, dass dieses Kind von mir ist?" fragte er. „Vielleicht hast du dich ja auch noch mit einem anderen Mann eingelassen."

Ich war entsetzt!

„Wie kannst du so etwas sagen!" entrüstete ich mich. „Wir sind jetzt drei Jahre ein Paar und in all dieser Zeit habe ich dir nie auch nur den geringsten Anlass gegeben, an meiner Treue zu dir zu zweifeln."

Für unsere Familien war unsere Situation eine grosse Schande. Man redete über unseren Fehltritt und das war auch für unsere Angehörigen äusserst unangenehm. Auch für uns selbst hatte sich durch meine Schwangerschaft plötzlich alles verändert. Wir sahen uns nicht mehr nur uns selbst gegenüber verpflichtet, sondern auch dem Baby. So entschieden wir uns im Oktober 1985, miteinander den Bund der Ehe einzugehen. Wir machten uns daran, ein schönes, traditionelles Hochzeitsfest vorzubereiten. Voll Eifer stürzten wir uns in die viele Arbeit für den grossen Tag. Hin und wieder gelang es mir auch, mich auf dieses Ereignis zu freuen – zumindest ein bisschen.

An der Hochzeitsfeier sorgte dann Varuschans Mutter für einen kleinen Eklat. In ihrer Ansprache erklärte sie mich als ihre Schwiegertochter und sich selbst als meine Schwiegermutter. Bei uns in Armenien ist es Tradition, dass die Eltern des Bräutigams die Braut öffentlich als Teil ihrer Familie willkommen heissen. Aussagen wie „wir freuen uns, dich von heute an als unsere Schwiegertochter haben zu dürfen" sind sehr üblich. Aber die Art und Weise wie Varuschans Mutter sprach, liess keinen Zweifel offen, dass sie von diesem Tag an ihren Herrschaftsanspruch über mich geltend machen würde. Es war eine klare Ansage, dass ich mich ihr zu unterwerfen hatte. Meine Tante war darüber derart erzürnt, dass sie ihre Familie zusammenrief und das Fest unverzüglich verliess. „Ich kann hier nicht mehr bleiben; ich halte das nicht aus!" liess sie verlauten und stand auf, um den Saal zu verlassen.

„Bitte, mach das nicht!" versuchte mein Vater sie zu besänftigen.

„Indem du gehst, machst du alles nur noch schlimmer." Doch sie wollte nicht hören. Sie ging und ihre ganze Familie mit ihr.

Es versteht sich von selbst, dass die Stimmung sehr unter diesem Zwischenfall litt. Für meine Mutter war die Situation sichtbar qualvoll und ich selbst konnte diese Frau in meinem Herzen nicht als meine Schwiegermutter akzeptieren. Die ganzen Feierlichkeiten gingen an mir wie unbeteiligt vorüber. Obwohl ich als Braut im Mittelpunkt stand, war ich nicht glücklich. Meine eigene Hochzeit hatte ich mir ganz anders vorgestellt. Ich dachte immer, dass ich überglücklich sein würde – aber das war jetzt nicht so. Wenn ich heute Fotos von meiner Hochzeit betrachte, kann ich in meinen Augen Trauer entdecken.

Zwei Tage nach der Hochzeit feierte meine Grossmutter ihren 80. Geburtstag. Obwohl es die armenische Tradition vorsieht, dass die Braut während ihres ersten Ehemonats das Haus ihres Bräutigams nicht verlässt, wollte ich unbedingt hingehen, um meiner geliebten Grossmutter Glückwünsche zu überbringen. Doch sowohl meine Schwiegermutter wie auch mein Ehemann verboten mir ausdrücklich, an dieser Geburtstagsfeier teilzunehmen.

„Nein, du darfst da nicht hingehen!" sagten sie. „Das ist viel zu früh nach der Hochzeit und viele verführerische Dinge könnten dir an dieser Feier begegnen!" Ich war fassungslos. Wie konnten sie mir das verbieten? Ich wollte doch nur meine Familie, besonders meine Grossmutter an ihrem speziellen Tag besuchen.

Doch es war nicht nur das Verbot der Teilnahme an der Geburtstagsfeier. Nein, auch Telefonate mit meinen Familienangehörigen waren unerwünscht. Ich kam mir vor wie in einem Gefängnis. Besonders schmerzhaft war, dass mich meine Schwiegermutter dafür verachtete, dass ich nicht rein in die Ehe gekommen war. Für sie war es verachtenswert, wenn eine Frau nicht als Jungfrau in den Stand der Ehe trat. Und diese Verachtung liess sie mich täglich spüren. Interessanterweise schien sie mit ihrem Sohn bezüglich dieser Sache nicht die geringsten Probleme zu haben. Ihm gegenüber hatte sie meine Schwangerschaft sogar als ein Glück bezeichnet, weil er dadurch von seiner Pflicht zum Militärdienst entbunden wurde. Ich selbst empfand, dass sich Varuschan zu wenig auf meine Seite stellte. Das tat mir sehr weh und ich sehnte mich nach seiner Unterstützung, doch die blieb aus.

Für ein verwöhntes Mädchen wie mich, war dies sehr, sehr schlimm. Und so sehnte ich mich danach, die Ehe zu verlassen und zu meiner Familie zurückzukehren. So griff ich in einem Moment, wo ich nicht beobachtet wurde, zum Telefon und rief meine Mutter an.

„Mutter, es ist schrecklich hier", weinte ich. „Ich will zu euch zurückkehren!"

„Nein, Asya, das geht nicht!" sagte meine Mutter zu mir, doch an ihrer Stimme erkannte ich, wie sehr sie mit mir litt. „Du bist jetzt verheiratet, hast einen Ehemann und damit Verantwortung."

Das war äusserst schmerzhaft. Doch natürlich hatte sie zu diesem Zeitpunkt keine andere Wahl, als mich auf meine Verantwortung hinzuweisen. Mutter war immer der Fels in meinem Leben gewesen. Immer hatte sie zu mir gestanden. Doch jetzt musste ich lernen, mich in meiner Situation als Ehefrau zurecht- zufinden.

Schon einige Monate vorher, noch ehe ich geheiratet hatte, als ich bemerkte schwanger zu sein, musste ich zum ersten Mal feststellen, dass sich die Rolle meiner Mutter veränderte. Auch wenn sie mich immer noch sehr unterstützte, würde sie mich nicht mehr vor allem bewahren können. Sie wies mich darauf hin, dass ich heimlich abtreiben könnte – doch dies schien mir dann doch etwas zu extrem zu sein. Aber wie auch immer ich mich zu diesem Zeitpunkt entschieden hätte: die Konsequenzen hätte ich dann doch selbst tragen müssen.

Es war eine harte Lektion zu lernen, dass ich jetzt kein Kind mehr war und dadurch nicht mehr unter dem vollumfänglichen Schutz meiner Eltern stand.

Nachdem der erste Monat unserer Ehe vorüber war, sah ich dann die Zeit als gekommen, meine Familie zu besuchen. Als ich diesen Wunsch äusserte, traf ich erneut auf grossen Widerstand. Nein, es wurde gar nicht gerne gesehen, dass ich meine Familie besuchen wollte. Diese Art von Isolierung wollte ich mir dann aber doch nicht gefallen lassen.

So kam es zu einer Auseinandersetzung mit meiner Schwieger- mutter, bei der unsere Stimmen etwas lauter wurden.

Da wurde auch Varuschan aktiv. „Was fällt dir ein, so mit meiner Mutter zu sprechen!" Und dann schlug mich mein Ehe- mann. Das war die erste Tätlichkeit, die ich in meiner Ehe erle- ben musste. Doch es sollte längst nicht die letzte und bei weitem auch nicht die schlimmste bleiben.

Ein paar Monate nach unserer Hochzeit verreisten wir für ei- nige Wochen nach Litauen. Das waren so etwas wie verspätete Flitterwochen. In dieser Zeit wandte Varuschan zum ersten Mal grosse Gewalt an. Aus irgendeinem Grund wurde er eifersüchtig auf andere Männer, die am selben Ort ihre Ferien verbrachten.

Mir war überhaupt nicht bewusst, was ich falsch gemacht haben könnte.

Doch sein Zorn wurde durch meine Unschuldsbeteuerungen noch mehr entfacht. Er schlug mich so, dass ich zu Boden fiel. Und dort trat er mit seinen Füssen auf mich ein. Ein Tritt traf meinen Bauch. Ich fürchtete damals, das Baby zu verlieren.

Ich war ratlos. Es kam mir so vor, als wäre ich mit zwei Ehemännern verheiratet, von denen einer umsorgend, der andere aber gewalttätig war. Ich konnte es nicht einordnen, aber Varuschan hatte wirklich zwei Gesichter.

Das Schwierigste für mich war Varuschans ständige Eifersucht und meine damit verbundene Angst. Das Gefängnis, in dem ich mich sah, schien mir zusehends enger, bedrohlicher und lebensfeindlicher zu sein.

Varuschan flüchtete sich auch immer mehr in den Alkohol. Und immer, wenn er getrunken hatte, wurde es besonders schlimm. Mein betrunkener Ehemann machte mir das Leben wirklich immer wieder zur Hölle!

Im Mai 1986 wurde mein gesunder Sohn Edward geboren. Dadurch wurde die Situation zusätzlich kompliziert. Ich war nun nicht mehr nur um meine eigene Sicherheit, sondern auch um diejenige des Babys besorgt. Nach weiteren Handgreiflichkeiten und Streitereien nahm ich mehrmals Edward und floh zu meiner Familie. Immer tauchte dann Varuschan mit schönen Worten und Entschuldigungen dort auf und beteuerte, dass so etwas nie wieder vorkommen würde. So gingen wir dann alle wieder zurück. Obwohl ich Varuschan glauben wollte, dass er sich ernsthaft bessern wollte, wusste ich natürlich allzu gut, dass es bis zur nächsten Eskalation nur eine Frage der Zeit war.

Mehrere Male floh ich zu meinen Eltern und jedes Mal kam Varuschan, um uns von dort wieder nach Hause zu bringen. Doch einmal kam er nicht. Ich wagte kaum, mich auf ein paar ruhige Tage mit meiner Familie zu freuen. Und das war auch besser so; doch diesmal war es mein Bruder, welcher mich auf meine Verpflichtung als Mutter und Ehefrau hinwies und mir klarmachte, dass mein Kind nicht ohne seinen Vater bleiben durfte. Als Folge dieser Erklärungen brachte uns mein Bruder wieder zu meinem Ehemann zurück. Das war für mich ein sehr, wirklich sehr schwieriger Tag.

Es war längst nicht mehr möglich, ein richtiges Eheleben zu führen. Nicht selten geschah es, dass er sich an mir verging, während ich schlief. Ich brauchte auch Jahre, bis ich das mir Angetane als Vergewaltigung bezeichnen konnte. Während der Jahre meiner Ehe betrachtete ich dies als notwendiges Übel; eine Sache, die ich über mich ergehen lassen musste.

Dadurch wurde ich auch wiederholt schwanger. Innerlich war ich schon durch und durch verhärtet und die Abneigung gegen meinen Ehemann beeinträchtigte mein ganzes Leben. Alles in mir schrie „nein" zu einem zweiten Kind. Und so trieb ich immer wieder ab. Mein Inneres zerbrach jedes Mal mehr, so dass letztlich nichts mehr in mir war, was überhaupt noch hätte kaputt gehen können. Ich war am Ende.

Mein Arzt redete mir schon ernsthaft ins Gewissen: „Frau Hovsepyan, das kann so nicht weitergehen! Eine Abtreibung nach der anderen lassen Sie machen – Sie müssen endlich über Verhütung nachdenken!"

Das klang natürlich vernünftig. Ich fürchtete mich aber sehr, dieses Thema mit Varuschan zu besprechen. Ich hatte auch nicht bei jeder Abtreibung den Mut aufbringen können, meinen Mann darüber zu informieren.

Meine Schwiegermutter drängte mich, ein zweites Kind zu bekommen. Dadurch wäre Varuschan definitiv vom Militär entlassen worden. Aber ich glaubte keine Kraft zu haben, ein Kind zur Welt zu bringen. Alles in mir schien sich dagegen aufzulehnen. Der Geruch des Alkohols widerte mich inzwischen derart an, dass ich den Gedanken, mit meinem betrunkenen Mann ein weiteres Kind zu haben, nicht ertrug.

„Nie mehr werde ich diesem Mann ein Kind gebären!"

In all dem Druck von Seiten meiner Schwiegermutter und meines Ehemannes waren die Abtreibungen für mich die letzte Möglichkeit, mich gegen sie aufzulehnen. Ich war damals nicht fähig, meine Handlungen als das zu erkennen, was sie wirklich waren.

Meine Hölle dauerte über Jahre hinweg an. Als ich nach vier Jahren wieder einmal schwanger wurde, traf ich folgende Entscheidung: Ich würde dieses Kind austragen.

Damals ahnte ich nicht, wie dankbar ich später für diesen Entscheid noch sein sollte.

7. Einfach nur weg

Die Schwangerschaft war für mich eine schwere und angsterfüllte Zeit. Meine Mutter war bereits gestorben. Und jetzt mussten wir uns auch von meiner geliebten Grossmutter verabschieden. Die Beerdigung und das damit verbundene Abschiednehmen setzten mir sehr zu. Es schien, als würde ich alle Personen verlieren, die mir in meinem Leben überhaupt noch Halt gaben. Natürlich waren mein Vater und meine Geschwister noch da, doch der Verlust von Mutter und Grossmutter wog in meiner Gefühlswelt einfach zu schwer. Wie nur sollte ich die Kraft finden, mein zweites Kind auszutragen und mich dann von meinem Mann zu trennen?

Angst vor der Zukunft war mein ständiger Begleiter. Währenddessen ging zu Hause der Terror weiter; seelische und körperliche Gewalt waren nach wie vor Alltag. Mein Ehemann war sehr eifersüchtig, weil ich mich in dieser schwierigen Zeit auch vermehrt um meinen Vater kümmerte. Meinen Verpflichtungen als Ehefrau und Mutter kam ich uneingeschränkt nach, was eine grosse Belastung für mich war. Die Spannungen mit Varuschan nahmen trotzdem zu.

„Varuschan", versuchte ich einmal ganz vorsichtig ein sehr heikles Thema aufzunehmen. „Könnte es vielleicht eine Möglichkeit sein, dass ich eine Zeitlang bei meiner Familie lebe, um mich besser um meinen Vater zu kümmern?" Natürlich hatte ich die geheime Absicht, nie wieder zu meinem Ehemann zurückzukehren.

„Auf keinen Fall!" erboste sich Varuschan. „Niemals wirst du von mir weggehen und einen anderen Mann suchen!"

„Das ist doch überhaupt nicht das Thema. Ich will keinen anderen Mann suchen. Und ich habe dir auch niemals Anlass zu dieser Vermutung gegeben." Und dies entsprach auch wirklich der Wahrheit. Der Gedanke an eine Wiederheirat kam mir überhaupt nicht in den Kopf. Das Einzige, das ich wollte, war, diesem Terror zu entkommen. Der Gedanke an Männer war mir unendlich ferne. Die ganze Gewalt, die ich über mich ergehen lassen musste, liess mir die Ehe überhaupt nicht mehr erstrebenswert erscheinen. Und überdies standen sowohl Scheidung wie auch Wiederheirat in Armenien in sehr schlechtem Licht.

Doch alle Argumente waren nutzlos. Varuschan konnte seine eifersüchtigen Gedanken einfach nicht in den Griff bekommen. Immer wieder nahmen seine Anschuldigungen mir gegenüber überhand.

Trotzdem schien Varuschan jetzt doch zu verstehen, dass ich seine Gewalttaten nicht mehr länger hinnehmen würde. So begann er immer wieder zu beteuern, dass er sich ändern und am Ende alles gut werden würde. Gerne hätte ich ihm geglaubt, doch seinen Worten folgte leider kein entsprechendes Verhalten. Die kleinsten Gründe reichten, dass Varuschan seine Fassung verlor. Dadurch geriet er jeweils in einen Zustand, in dem er sich selbst nicht mehr bändigen konnte.

In dieser Zeit begann ich auch schon ernsthaft zu zweifeln, ob ich wirklich die Kraft für eine Scheidung haben würde. Es stand ausser Frage, dass damit grosse Kämpfe verbunden sein würden.

Im April 1991 wurde unser zweites Kind geboren. Es war ein Junge, wir nannten ihn Vahram. Wir freuten uns sehr über unseren zweiten Sohn.

1992 zogen wir nach Russland. Varuschan bemühte sich sehr, seine Arbeit gut zu verrichten. Die ersten Monate gelang ihm dies gut, doch dann hatte er plötzlich gesundheitliche Probleme, so dass ich ihn zum Arzt bringen musste. Nach einigen Untersuchungen wurde uns die Diagnose seiner psychischen Erkrankung unterbreitet: Schizophrenie. Das war also der Grund für das Verhalten meines Ehemannes. Doch dieses Wissen vermochte meine Lage auch nicht angenehmer zu machen.

Die Monate vergingen und in mir wuchs erneut der Wunsch, mich von meinem Ehemann scheiden zu lassen. Nach und nach vertraute ich diese Absicht meinen nächsten Verwandten an. Dabei stiess ich auf grosse Abwehr.

„Als Christ darfst du deinen Mann nicht verlassen!" wurde mir ins Gewissen geredet. „Ganz besonders nicht, wenn er unter einer Krankheit leidet."

Und ganz grundsätzlich: Scheidung gehörte sich nicht – darüber waren sich meine Familienangehörigen einig. Die ganze Familie würde zum Gespräch werden und manche Leute könnten durch mein „Versagen" den Respekt vor uns verlieren. Ich hörte auf sie und schickte mich in meine Ehe. Ich kümmerte mich um Varuschan, verabreichte ihm Spritzen, brachte ihn zu ärztlichen Kontrollen und liess weiterhin all die schreckliche Gewalt, die Beleidigungen und den Missbrauch über mich ergehen. Innerlich leer, vegetierte ich einfach nur noch dahin, Emotionen liess ich kaum zu. Jahrelang hoffte ich, dass Varuschans Krankheit geheilt und wir ein erträgliches Familienleben führen könnten, doch daraus wurde nichts. Stattdessen verfiel er immer mehr dem Alkohol. Auf diese Weise versuchte er, seinen zwanghaften Gedanken zu entfliehen.

Unser Zuhause glich dadurch aber eher einem Kriegsschauplatz als einem trauten Heim.

Das Einzige, was in unserer Ehe funktionierte, war die Treue. Nie hat mein Mann mich betrogen und auch ich hielt ihm bedingungslos die Treue.

Nachdem ich mich jahrelang gebeugt hatte, begann ich mir dann aber doch wieder ernsthafte Gedanken über eine Scheidung zu machen. Ich konnte einfach nicht mehr so weitermachen. Besonders als Varuschan anfing, meinen älteren Sohn, Edward, immer härter zu schlagen, wusste ich, dass die Zeit zum Handeln nun aber wirklich gekommen war. Irgendwie musste ich meine beiden Söhne vor diesem Mann beschützen. Einmal, es war im Jahr 1997 beschuldigte Varuschan mich, Geld von ihm gestohlen zu haben.

Er schrie mich an: „Gib es zu! Du hast mein Geld gestohlen!"

„Nein", wandte ich ein. „Dieses Geld habe ich von meinem Vater erhalten. Du kannst ihn gerne fragen."

„Du bist eine Lügnerin! Ich weiss, dass du das Geld von mir gestohlen hast."

Doch diesmal nahm die Geschichte einen anderen Verlauf als die unzähligen Male zuvor. Ich packte seine Hände und hielt sie zusammen, so dass er mich nicht schlagen konnte. Woher ich die Kraft dazu nahm? Ich weiss es nicht.

Während ich Varuschans Hände festhalten konnte, rammte er seinen Kopf so stark gegen meinen, dass daraufhin mein halbes Gesicht blau anlief und stark anschwoll.

Sofort liess Varuschan von mir ab. Er mochte selbst über meinen Anblick erschrocken gewesen sein. Später hinterlegte er mir einen Brief, in welchem er unter anderem schrieb: „Geh weg von mir, ich will dich nicht verletzen." Daraufhin stand mein Entschluss fest: Ich würde mich von Varuschan scheiden lassen. Es war genug.

„Ich habe lange auf euch gehört", erklärte ich meinen Verwandten. „Doch jetzt ist Schluss! Ich habe meine Entscheidung getroffen und werde mich scheiden lassen. Es ist einfach genug und ich kann nicht länger mit Varuschan zusammenleben."

Damit hatte ich meinen Standpunkt klar gemacht und meine Familie musste irgendwie mit dieser Entscheidung klarkommen.

So ging ich zum Gericht und beantragte die Scheidung. Doch kaum war das Verfahren ins Rollen gekommen, schaltete sich bereits das Staatssicherheitsministerium ein. Dieser war gerade dabei, uns unsere Wohnung wegzunehmen, um sie für eigene Interessen zu nutzen. Stattdessen boten sie uns eine andere Dreizimmerwohnung an.

„Wir untersagen Ihnen die Scheidung", wurde ich von den Beamten des Staatssicherheitsministeriums informiert. Ich war fassungslos.

„Von der Regierung wird Ihnen eine Wohnung zur Verfügung gestellt. Die Wohnung bietet die Möglichkeit, dass Sie in getrennten Zimmern schlafen. Wir verlangen aber von Ihnen, dass sie gemeinsam mit Ihrem Ehemann dort leben."

Auf meine Einwände reagierten sie sehr schroff und drohten uns mit grossen Problemen, wenn wir den Anweisungen nicht Folge leisten würden. Meine Bitte um Erklärung war vergeblich. Es war klar, dass dies nicht einfach ignoriert, werden konnte. Und natürlich durfte ich nicht davon ausgehen, dass ein Richter gewillt war, sich offen mit dem Staatssicherheitsministerium anzulegen und uns gegen dessen Willen zu scheiden.

So sehr sich der Richter auch für mich einsetzen wollte, waren ihm durch das Staatssicherheitsministerium doch die Hände gebunden.

Doch der Richter, an den ich mich gewandt hatte, liess nicht locker. Einige Zeit war vergangen, als er mich anrief. Ich war sehr erstaunt, seine Stimme am Telefon zu hören.

„Frau Hovsepyan, kommen Sie bitte zu mir ins Büro."

Natürlich kam ich dieser Aufforderung umgehend nach und war sehr überrascht, den Grund hierfür zu erfahren. Der Richter händigte mir alle Scheidungsunterlagen aus.

„Ich sehe mich gezwungen, Ihnen diese Papiere auszuhändigen. Auch wenn ich dadurch Probleme mit dem Staatssicherheitsministerium erhalte, will ich meinem Gewissen folgen und meinen Beitrag zu Ihrer persönlichen Sicherheit leisten. Wegen Ihres Falles konnte ich längere Zeit nicht mehr richtig schlafen und ich fand keine Ruhe. Ich muss Ihnen einfach helfen." Diese Worte drangen sehr tief ins Herz, obgleich ich die Bedeutung derselben zu diesem Zeitpunkt noch nicht richtig fassen konnte.

„Bitte, nehmen Sie diese Scheidungspapiere, gehen Sie und sorgen Sie für Schutz für sich und Ihre beiden Söhne."

„Vielen Dank!" Es gab nichts, was ich mehr hätte sagen können. Als ich das Gebäude verliess, war mir, als würde ich träumen. Ich war tatsächlich geschieden und frei, Varuschan zu verlassen. Zumindest rechtlich, denn das Problem mit dem Ministerium war damit noch nicht aus dem Weg geräumt. Dieser konnte durchaus in der Lage sein, mich in grosse Probleme zu stürzen, sollte ich die neue Wohnung, die sie uns zur Verfügung stellten, nicht beziehen.

Und tatsächlich schenkte mir das Staatssicherheitsministerium auch weiterhin kein Gehör. Sogar ein Chef des Ministeriums redete mir persönlich ins Gewissen:

„Frau Hovsepyan. Ich glaube Ihnen nicht, dass Sie wirklich rechtmässig die Scheidung erwirkt haben. Sie sind eine naive Person, welche den Bezug zur Realität verloren hat."

„Nein", entgegnete ich. „Meine Scheidung ist rechtskräftig. Und ich kann nicht mehr bei diesem Mann bleiben. Die psychische Krankheit meines Ehemannes bringt mich und meine Kinder immer wieder in gefährliche Situationen."

Doch ich stiess auf taube Ohren. Sie hätten genügend stichhaltige Hinweise auf häusliche Gewalt erkennen können – doch sie wollten mir einfach nicht zuhören. Alles Reden nützte nichts. Trotzdem ging ich noch zu weiteren, höheren Gerichten, um diesen Fall vorzubringen und getrennte Wohnmöglichkeiten zu erwirken.

Mit allem Nachdruck wurde uns befohlen, diese Wohnung gemeinsam zu beziehen und kein Aufsehen zu erregen. Was sollte ich tun? Ich hatte davon gehört, wie das Staatssicherheitsministerium Menschen ohne offizielles Verfahren ins Gefängnis steckte. Was würde aus meinen Kindern, wenn ich verhaftet würde, weil ich mich nicht an den Befehl hielt, in dieser Wohnung zu leben. Der Gedanke, dass die beiden allein bei Varuschan bleiben müssten, jagte mir grosse Angst ein.

Das war schrecklich. Endlich war ich geschieden und doch nicht frei, Varuschan zu verlassen. In dieser Situation überraschte es auch nicht weiter, dass mein Mann – oder müsste ich jetzt sagen ExMann – die Scheidung nicht anerkannte. Er war fest davon überzeugt, dass wir gesetzlich noch immer verheiratet waren.

So blieb ich noch zwei weitere Jahre bei Varuschan. Eine Zeit, die mir wie die Hölle vorkam. Angst war mein ständiger Begleiter. Nachts verbarrikadierte ich meine Zimmertüre mit allen zur Verfügung stehenden Möbeln. Nur so fühlte ich mich sicher genug, um einzuschlafen.

In dieser Zeit reiste dann auch mein Vater nach Russland aus. Die Tatsache, ihn nicht mehr in meiner Nähe zu wissen, war sehr hart! Und es war ein weiterer Grund, der mich an den Rand totaler Verzweiflung brachte. Ich wagte kaum mehr zu hoffen, dass sich die Situation überhaupt noch jemals verbessern könnte.

Doch dann nahm ich meine letzten Kräfte zusammen: Ich entschied, Varuschan zu verlassen, koste was es wolle. Von einem Makler liess ich mich darüber beraten, wie unsere Wohnung verkauft werden konnte. Diese Chance ergriff ich und verkaufte unser „gemeinsames" Zuhause. Das Geld, das mir zustand, nahm ich und suchte irgendwo, am anderen Ende von Eriwan eine kleine Wohnung. Zu meinem Bruder oder einem anderen Verwandten konnten wir nicht ziehen – Varuschan hätte uns sehr schnell gefunden. Ich sah keine andere Möglichkeit als eine eigene Wohnung zu nehmen.

Vor Varuschan fühlten wir uns hier erst einmal sicher. Es blieb nur zu hoffen, dass uns das Staatssicherheitsministerium keine Probleme bereiten würde. Damit musste ich aber immer mehr rechnen. Auch Varuschan setzte alle Hebel in Bewegung, um mich und unsere beiden Söhne ausfindig zu machen.

Irgendwann tauchte Varuschan dann bei unserer neuen Wohnung auf. Zuerst hatte er die Jungen in ihrer Schule ausfindig gemacht. Wahrscheinlich war er ihnen dann einfach heimlich bis zu unserer Wohnung gefolgt. Auf jeden Fall war er plötzlich da. Er sah sehr schlecht aus.

Aus Mitleid öffnete ich ihm die Tür. Ich wollte ja auch nicht zu hart sein, schliesslich war er der Vater meiner beiden Söhne. Sein leidvolles Erscheinungsbild bewegte mich dazu, mich ihm gegenüber noch einmal zu öffnen – zumindest ein wenig.

So kam er noch ein paar Mal bei uns vorbei und beteuerte jedes Mal, wie er sich ändern und die Sache jetzt doch noch gut werden würde. Er litt auch sehr darunter, von uns getrennt zu sein. Das tat mir sehr leid. Ich ging sogar so weit, dass ich ihn ein paar Mal in unserem Wohnzimmer schlafen liess. Ich selbst zog mich mit meinen Kindern ans andere Ende unserer kleinen Wohnung zurück.

Es war ein Fehler, Varuschan in unsere Wohnung zu lassen. Denn offensichtlich begann er sich an die Hoffnung zu klammern, dass wir als Familie wieder zusammenkommen würden.

Einmal, die beiden Jungen spielten gerade draussen, tauchte er mit einer Flasche Alkohol vor unserer Türe auf.

„Nein, mit Alkohol kommst du mir nicht in die Wohnung!" wies ich ihn energisch ab. Daraufhin wurde er laut und versuchte sich Eintritt zu verschaffen. Ich wurde ebenfalls laut, als ich ihm diesen zu verwehren suchte. Edward hörte unser lautes Schreien und ahnte sofort, was da los war. Er kam in die Wohnung gestürzt und der damals Dreizehnjährige stellte sich mit drohender Gebärde zwischen mich und seinen Vater.

„Vater, wenn du meiner Mutter noch einmal wehtust, werde ich dich schlagen!" sagte er ihm den Kampf an. „Es ist besser, wenn du jetzt sofort von hier verschwindest."

Einen kurzen Augenblick schauten sich die beiden zornig in die Augen.

„Komm nie wieder hier her!" holte Edward noch einmal aus. „Wir wollen dich hier nie wieder sehen."

„Was fällt dir ein, so mit mir zu sprechen! Du bist mein Sohn."

Doch Edward schrie nur noch lauter und wiederholte: „Geh weg, wir wollen dich hier nicht mehr sehen!"

Und tatsächlich drehte sich Varuschan um und ging davon.

In diesem Moment wusste ich ganz klar: Wir mussten hier weg. Es war eine Frage der Zeit, bis die Gewalt zwischen meinem

ExMann und meinen Söhnen eskalieren würde. Von der Polizei konnten wir keinen Schutz erwarten. Es gab also keinen anderen Weg, als die Stadt und auch das Land zu verlassen. Wir mussten einfach nur weg – raus aus Armenien!

8. Die Flucht

Längst schon hatte ich einer Organisation den Auftrag gegeben, alle benötigten Papiere für eine Flucht aus Armenien vorzubereiten. Nun galt es zu warten. Woche um Woche ging dahin. Das Warten zermürbte meine Söhne und mich sehr. Damals sehnten wir uns nur danach, einfach weggehen zu können und diese ganze familiäre Misere hinter uns zu lassen.

Unser Ziel war es, mit einer als Touristengruppe getarnten Gesellschaft in die Ukraine zu fliegen. Von dort gelangten die Flüchtlinge dann in ein europäisches Land. In Armenien und wohl auch in sehr vielen anderen Ländern gibt es Organisationen, welche solche Flüchtlingsgruppen organisierten. Hierzu wurden Reisepapiere mit gefälschten Visa ausgestellt, was natürlich auch eine Menge Geld kostete. Und es kostete immer mehr – doch es gab kein Zurück mehr. Glücklicherweise schickte mir mein Bruder immer wieder etwas Geld zum Überleben.

Einer Arbeit nachzugehen, war für mich so gut wie unmöglich. Die Verantwortung für meine beiden Söhne und die vielen Vorbereitungen für die Flucht nahmen mich voll in Anspruch. Ich hatte auch niemanden, der mich in der Betreuung meiner Kinder unterstützen konnte. Da ich anfänglich auch nicht damit rechnete, dass sich diese Vorbereitungen über Monate hinzogen, waren meine Hände für ein alltägliches Leben wie gebunden.

In der ständigen Angst, dass mein ExMann wieder auftauchen würde, warteten wir monatelang, bis wir endlich Armenien verlassen konnten. Das war äusserst nervenaufreibend. Oft machte ich mir auch noch Gedanken darüber, ob nicht plötzlich die Polizei auftauchen und uns Probleme bereiten würde. Richtig Angst hatte ich vor ihnen aber nicht mehr. Ich weiss nicht, ob es daher rührte, dass ich jede Gefahr nur noch von Seiten Varuschans befürchtete – jedenfalls war meine Angst vor der Polizei beachtlich geringer geworden. Doch noch immer war sie in meinen Augen ein Feind, von dem ich keine Hilfe erwarten konnte. Nie wäre es mir eingefallen, von irgendeiner Behörde Schutz zu erbeten.

In Armenien war eine alleinstehende Frau, die unter einem ExMann zu leiden hatte, oft eine Beute für irgendwelche Regierungsangestellte. Falls jemand gewillt war, sich für meine Lage einzusetzen, war dies oftmals mit sehr zweifelhaften Motiven verbunden. Ein Grund mehr, mich nicht an die Polizei oder sonst jemanden zu richten. So blieb uns nichts weiter übrig, als zu hoffen, dass wir von Zwischenfällen mit meinem ExMann verschont bleiben würden. So manches Mal zuckten wir zusammen, wenn wir verdächtige Geräusche vor unserer Wohnung hörten. Doch glücklicherweise wurden wir in dieser Zeit von jeglicher Gewalt verschont. Lediglich meine ExSchwiegermutter belästigte uns mit zuweilen sehr penetranten Telefonanrufen, wobei sie mich für alles Mögliche beschuldigte und beleidigte.

Es versteht sich von selbst, dass wir über unsere Absicht, Armenien für immer zu verlassen, Stillschweigen bewahrten. Wäre diese Information der falschen Person zu Ohren gekommen, hätten wir mit Sicherheit grosse Probleme gehabt. Wir hofften sehr, dass unsere Organisation auch tatsächlich so diskret war, wie sie es versprach. Heute habe ich diesbezüglich allerdings meine begründeten Zweifel.

„Frau Hovsepyan, Ihre Papiere sind bereit. Sie können Armenien verlassen." Diese lang ersehnte Nachricht brachte sehr viel Bewegung in unsere Familie. Die beiden Jungen waren mindestens so nervös wie ich. Endlich konnten wir fliehen. Das ständige Bangen und die Furcht vor einem plötzlichen Auftauchen Varuschans sollten in Kürze vorbei sein.

Es war der 20. Mai 2000 als wir unser Gepäck ergriffen, um unsere Stadt Eriwan und unser vertrautes Land Armenien hinter uns zu lassen. Vielleicht für immer.

Ein kurzer Anruf bei meiner Schwester machte den Abschied schwer. Schnell eilte sie zur Bushaltestelle, um uns noch persönlich zu verabschieden. Wieder und wieder umarmte sie uns alle. Wir weinten sehr. Würden wir uns jemals wiedersehen?

„Ich werde euch sehr vermissen", beteuerte sie immer wieder und wir konnten nicht anders, als ähnliches zu sagen. Nach all dem Terror der vergangenen Jahre und dem Warten und Bangen der letzten Monate hatte ich nicht erwartet, dass mir der Abschied derart schwerfallen würde. Es wurde mir erst jetzt richtig bewusst, dass ich meine Familie vielleicht für immer zurücklassen musste.

Das Einfahren unseres Busses bedeutete, uns von meiner geliebten Schwester zu lösen. Mit aller Kraft schleppten wir unser schweres Gepäck hinein und nahmen auf freien Sitzen Platz. Wir waren unterwegs.

Als ich zum Fenster hinausblickte und all die vertrauten Bilder ein letztes Mal in mich aufnahm, wurde mir sehr wehmütig ums Herz. Dass unsere Flucht richtig war, bezweifelte ich jedoch überhaupt nicht. Dem Leiden der letzten Jahre zu entkommen hatte sehr viel mehr Gewicht als der Abschied von unserer vertrauten Stadt.

In all diesen Abschiedsschmerz mischten sich aber auch Gedanken daran, dass ich von Seiten der Behörden nicht den notwendigen Schutz erhalten hatte – im Gegenteil ich empfand ihr Verhalten oft als verwirrend, angsteinflössend und unterdrückend.

Meine Söhne weinten. Bereits jetzt begannen sie, ihre Schule und all ihre Freunde zu vermissen. Auch für sie war dieser Schritt nicht einfach. Doch keiner von ihnen hatte jemals gesagt, dass er lieber in Armenien bleiben würde.

Der Bus fuhr im Flughafen ein und wir mussten mitsamt unserem Gepäck aussteigen. Schnell fanden wir den Weg zum CheckIn, wo sich die ganze „Reisegruppe" einfand.

Plötzlich trafen meine Augen diejenigen einer alten, mir nur allzu bekannten Frau: Meine ExSchwiegermutter.

„Wie kannst du das nur machen?" konfrontierte sie mich. „Es ist unfair, die Kinder von uns wegzunehmen!" Mit ihrer lauten Stimme zog sie die Aufmerksamkeit einiger anderer Reisenden auf sich.

„Weshalb ist diese Frau hier?" schoss es mir durch den Kopf. Ich kam mir vor wie in einem bösen Alptraum. War diese leidige Geschichte denn eigentlich nie zu Ende? Ihre Anwesenheit konnte kein Zufall sein. Woher nur hatte sie von unserer Abreise erfahren? Und was wollte sie jetzt von uns?

Ich war nicht in der Lage, sie zu ignorieren.

„Wir verreisen!"

„Wohin?" wollte sie wissen. „Geht ihr zur Tante nach Belgien?" Das war Varuschans Tante, welche in Belgien lebte.

„Ja", sagte ich deshalb. „Wir gehen die Tante besuchen." Im selben Augenblick war mir aber klar, dass wir auf keinen Fall nach Belgien reisen würden. Mein ExMann würde uns dort viel zu schnell aufspüren können. Es konnte jedoch nicht schaden, meine ExSchwiegermutter in diesem Glauben zu lassen.

Diese war mit meiner Antwort jedoch alles andere als zufrieden.

„Und was wird aus mir? Wer kümmert sich denn um mich?"

„Ich weiss es nicht", erwiderte ich. „Aber ich werde es nicht tun. Ich bin von deinem Sohn geschieden und habe dir gegenüber keine Verpflichtungen mehr."

Die Frau hörte nicht auf, sich zu beschweren. Sie wolle nicht von ihren Enkeln getrennt werden. Ihr Sohn sei in so schlimmer psychischer Verfassung, dass er nicht allein gelassen werden dürfe. Und sie unterliess auch nicht ihre Hauptanschuldigung, dass der Zustand Varuschans meine Schuld sei und dass er auch nur meinetwegen so oft zum Alkohol griff. Es war unmöglich mit dieser Frau ein ernsthaftes Gespräch zu führen.

Meine ExSchwiegermutter schien sehr wohl über alles im Bilde zu sein. Durch die Schlepperorganisation muss sie zu den Informationen gekommen sein. Sie war aber überzeugt, dass wir nach Belgien reisen und sie und ihr Sohn dann nach einiger Zeit nachkommen würden. Ich selbst hatte sie mit dieser Geschichte versorgt. Ohne Einwilligung Varuschans wäre es mir nämlich nicht erlaubt gewesen, mit meinen Kindern Armenien zu verlassen. Also hatte ich ihm irgendeine Geschichte erzählt, damit er seinen Söhnen in einem Brief die Ausreise erlaubte. Und dies hatte auch tatsächlich funktioniert. Varuschan wünschte, dass wir als Familie wieder zusammenkommen würden, und glaubte meine Story wohl einfach deswegen, weil er sie glauben wollte. Dies lag nun aber schon einige Monate zurück, doch Varuschans Mutter hatte sich die Geschichte sehr wohl gemerkt und plante nun, bald nach Belgien nachzureisen. Ich wurde zornig! Wie konnte es sein, dass der Terror mich noch bis in den Flughafen verfolgen würde. Auch meine Stimme wurde lauter und, provoziert wie ich war, begann ich Klartext zu reden: „Meine Söhne und ich werden weggehen! Es ist wegen deinem Sohn. Und auch wegen dir. Wir ertragen euch nicht mehr und müssen euretwegen weg! Und wir werden euch auch auf keinen Fall zu uns holen."

Diese Worte trafen sie jetzt aber doch. Endlich schien sie zu begreifen, dass meine angegebene Absicht, als Familie in Europa zu leben, nichts als eine List gewesen war. Doch es war mir egal, ob ich diese Frau enttäuschte. Durch ihre offenen Angriffe, selbst hier im Flughafen, hatte sie mich provoziert und ich genoss es jetzt sogar, endlich einmal das letzte Wort haben zu können.

„Du lügst!" holte sie aber noch einmal aus. „Du hast keine Scheidung."

„Doch!" beharrte ich. „Bereits seit Jahren bin ich offiziell von Varuschan geschieden. Und darüber bin ich sehr froh. Ich will nichts mehr mit ihm zu tun haben."

„Aber du weisst doch, wie sehr Varuschan an den Jungen hängt. Er wird vor Kummer sterben, wenn du sie ihm einfach wegnimmst." Noch immer versuchte sie, mir ein schlechtes Gewissen zu machen, was mich nur noch zusätzlich erzürnte.

„Er wird deswegen schon nicht sterben. Wir wollen jetzt einfach nur weg von euch!"

Das Wortgefecht war sehr heftig. Es war gut, als die „Reiseleiter" schliesslich zum Aufbrechen aufriefen und wir uns entfernen konnten.

Von der Organisation hatten wir strikte Anweisungen erhalten. Offiziell waren wir eine Reisegruppe, welche Ferien in der Ukraine machen wollte. Bis dorthin war unsere Reise auch legal. Die Weiterreise in europäische Länder würde dann aber mit gefälschten Visa geschehen und musste absolut geheim bleiben. Deshalb wurde uns mit allem Nachdruck untersagt, mit irgendjemandem über andere Reiseziele als die Ukraine zu sprechen.

Eine grosse Herausforderung sollte das Passieren des Zolls sein – zumindest für Edward. In Armenien war es für Jugendliche ab 14 Jahre verboten, das Land zu verlassen. Auf diese Weise versuchten nämlich viele, sich vor dem Militärdienst zu drücken. Mit 14 Jahren mussten sich alle Jungen in Armenien für den Militärdienst anmelden. Edward würde am 31. Mai, also in elf Tagen, 14 Jahre alt. Wegen der langen Verzögerung unserer Ausreise stand der Geburtstag nun unmittelbar bevor. Gemäss unseren offiziellen Reiseplänen war er während unseres Aufenthalts in der Ukraine.

Als wir uns dem Zoll näherten raste mein Herz wie wild. Würden sie Edward ausreisen lassen? Oder würde unsere Flucht schon vereitelt, bevor wir Armenien hinter uns hatten? Ich hatte keinen anderen Gedanken als den Wunsch, dass der Zollbeamte uns einfach durchwinken würde.

Endlich standen wir vor dem Schalter und ein Mann kontrollierte unsere Papiere. Eine furchteinflössende Erscheinung. Mir schien, als würde ich einen KGBMitarbeiter vor mir haben. Plötzlich zog er die Augenbrauen hoch und zeigte mit dem Finger auf das Geburtsdatum in Edwards Pass.

„Das ist nicht ganz korrekt! Eigentlich dürften Sie mit diesem Jungen zu diesem Zeitpunkt nicht ausreisen." Es folgte eine kurze Pause. „Natürlich könnte ich gegen einen kleinen Aufpreis ein Auge zudrücken." Eine deutliche Ansage, dass er bestechlich war. Doch leider hatte ich kaum Geld – nur noch gerade 100 USDollar.

Zögernd reichte ich ihm 20 Dollar hin, wohl wissend, dass in solchen Situationen normalerweise Hunderte von Dollar an Schmiergeld bezahlt wurden.

„Was?" wunderte sich der Mann. „Sie geben mir nur 20 Dollar. Ist Ihnen eine Reise mit Ihrem Sohn denn nicht mehr wert?"

„Tut mir leid. Aber ich habe meine ganzen Ersparnisse für die Reise ausgegeben. Ich bin blank und kann Ihnen einfach nicht mehr geben."

„Aber Sie müssen doch mehr Geld haben als 20 Dollar. Wie denken Sie denn, Ferien zu machen?" Seine Stimme wurde lauter.

„Ja, ich habe etwas mehr. Aber ein wenig Geld brauche ich doch auch, damit ich während unseres lang ersehnten Urlaubs zumindest etwas zum Essen kaufen kann." Auch meine Stimme war lauter geworden. Plötzlich war jegliche Angst vor diesem Mann verflogen.

Stattdessen war ich erfüllt von einer inneren Entschlossenheit: Wir mussten da einfach durch und den Flug in die Ukraine erwischen. Es durfte jetzt einfach kein Zurück mehr geben. Der Wortwechsel drohte zu einem lauten Streit auszuarten.

Doch dann hielt er inne. Einen kurzen Augenblick lang bohrten sich seine Augen in meine. Wahrscheinlich hatte er endlich begriffen, dass ich wirklich nicht viel Geld hatte. Jedenfalls nahm er die 20 Dollar und winkte uns durch. Ich frage mich heute, was ihn dazu bewogen haben mag. Vielleicht hatten wir ihn davon überzeugt, dass wir tatsächlich nur Touristen waren und schon wieder termingerecht nach Armenien zurückkehren würden. Ich weiss es nicht. Es war ja auch egal: Hauptsache, wir waren durch den Zoll gekommen.

Es war geschafft! Zumindest die erste Hürde.

Wir schleppten unser Gepäck durch den Flughafen und sassen kurze Zeit später im Flugzeug auf unseren Plätzen. Ich begann sehr heftig zu weinen. Einerseits weinte ich wegen dem Schmerz, mein geliebtes Land verlassen zu müssen. Andererseits weinte ich aber auch aus Erleichterung: Endlich war ich dem Terror meiner Ehe, den Schikanen der Behörden und der chaotischen Situation im damaligen Armenien, unter denen ich so viele Jahre gelitten hatte, entkommen.

9. Ukraine

Unsere ganze Gruppe von ungefähr 100 Personen wurde mit einem Reisebus in ein schönes Hotel gebracht, wo wir die Nacht verbringen sollten. Geplant war eine Weiterreise am nächsten Tag. Doch es sollte anders kommen.

Mitten in der Nacht wurden wir durch eine lautstarke Diskussion auf den Korridoren geweckt. Einer nach dem anderen aus unserer Gruppe verliess sein Zimmer, um zu sehen, was da los war. Irgendwie schienen unsere Reiseleiter äusserst beunruhigt, unterliessen es jedoch, uns über das Geschehen ins Bild zu setzen. Schliesslich forderten sie uns auf, sofort unser Gepäck zu nehmen und das Hotel zu verlassen.

Am nächsten Tag hörten wir Gerüchte, mit Hilfe derer wir uns ein Bild machen konnten. Der vorangehenden Gruppe, welche unsere Organisation nach Europa bringen wollte, wurde die Einreise verweigert. Die falschen Visa wurden als solche identifiziert. Das bedeutete das Ende ihres Einreiseversuchs in Europa und alle wurden unverzüglich zurückgeschickt. Unseren Führern war es nun extrem wichtig, dass unsere Gruppe nicht mit diesen Leuten zusammentraf. Wahrscheinlich fürchteten sie sich davor, dass die Rückkehrer in ihrem Frust schlecht über die Organisation reden und uns damit negativ beeinflussen würden. Auf jeden Fall mussten wir das Hotel verlassen. Mit einem Bus an einen anderen Ort verlegt werden.

Mit einem Bus wurden wir in einer mehrstündigen Fahrt dann an einen Ort irgendwo im Bezirk Dnipropetrowsk gebracht. Bei Sonnenaufgang hatten wir unser Ziel erreicht. Diese Nacht und Nebelaktion wurde uns mit Worten wie „Sicherheit" erklärt, was uns alle sehr irritierte. Anfänglich dachten wir, dass wir zu einem anderen Flughafen fahren würden, um von dort nach Europa zu reisen. Als wir nach unserer Ankunft aber nirgends einen Flughafen ausmachen konnten, wurde uns allen klar, dass wir an diesem Tag nicht, wie geplant, nach Europa weiterreisen würden.

Wir befanden uns an einem See, inmitten eines grossen Waldes. Es war ein sehr schöner Ort, doch die Unterkünfte waren total heruntergekommen. Alles war alt und schmutzig. Wir wurden den verschiedenen Baracken zugeteilt, wo wir uns erst einmal einrichten sollten. Die einfachen sanitären Einrichtungen befanden sich in anderen Baracken. Warmwasser war ein Luxus, in dessen Genuss wir nur selten kamen. Nicht nur zum Duschen, sondern auch für die Benutzung der Toilette, mussten wir immer sehr lange anstehen.

Die ganze Gegend war voller Mücken, die uns das Leben schwer machten. Sorgfältig mussten wir darauf achten, dass die Häuser immer geschlossen waren, um diesen Quälgeistern den Eingang zu unseren Schlafräumen zu verwehren. Ich war froh, dass ich meine Söhne in meinem Zimmer haben konnte, welches wir nur mit einer weiteren Frau teilen mussten.

Es war der 21. Mai als wir an diesem Ort ankamen. Die Tage vergingen und ich erinnere mich noch sehr gut an den 31. Mai, den Geburtstag Edwards. Weil das Wasser an diesem Ort sehr schmutzig und ungeniessbar war, mussten wir Trinkwasser in einem umliegenden Dorf kaufen. An seinem Geburtstag schickte ich Edward, um sich zu diesem Anlass ein Eis zu kaufen. Als er zurückkam, hielt er einen Geldschein in der Hand. Es war das Rückgeld. Im Laden hatten sie ihm aber fälschlicherweise den falschen Schein herausgegeben. Der Wert war zehnmal so hoch, wie er hätte sein müssen.

„Hast du denn nichts bemerkt? Wie konntest du diesen Schein denn nur annehmen? Das ist Betrug!" Ich war sehr enttäuscht über meinen Sohn. Doch er konnte ja auch nichts dafür. Edward hatte noch nicht einmal die Gelegenheit gehabt, die Währung der Ukraine richtig kennenzulernen.

Eine Frau, welche die Situation mitverfolgt hatte, mischte sich ein und versuchte, mich zu beschwichtigen. „Vielleicht ist es ja ein Geschenk vom Himmel, zum Geburtstag deines Sohnes."

Langsam beruhigte ich mich. Das Geld konnten wir ja tatsächlich sehr gut gebrauchen. Besonders, da sich unser Aufenthalt in der Ukraine in die Länge zog, waren wir unbedingt auf Geld angewiesen. Und wir hatten auch keine Möglichkeit, das Geld zurückzubringen. Es war uns nämlich mit Nachdruck untersagt worden, dasselbe Dorf mehrmals aufzusuchen. Überhaupt sollten wir uns nur in absolut nötigen Fällen vom Camp entfernen. Unseren Führern war es sehr wichtig, keine Aufmerksamkeit zu erregen.

Das Leben in diesem Camp war sehr anstrengend. Es war heiss, die Einrichtung dürftig und die Ungewissheit zermürbend.

An diesem Ort waren neben unserer Gruppe auch noch andere. Wir waren wirklich sehr viele Menschen dort, darunter auch solche mit äusserst schlechtem Ruf. Es ist normal, dass sich in allen Flüchtlingsgruppen auch Kriminelle befinden, die auf der Flucht sind. Und es wäre nur allzu schön, wenn sich deren Charakter auf der Flucht plötzlich zum Guten ändern würde – doch dies ist natürlich nicht der Fall. Eher das Gegenteil. Diese Leute machen den anderen das Leben oft zusätzlich zur Hölle. Einige dieser Männer verübten auch in unserem Lager in der Ukraine viele Verbrechen.

Wie war ich über die Nachricht erleichtert, nach Italien fliegen zu können! Mit einer Gruppe fuhren wir zum Flughafen und bestiegen die Maschine, die uns in die Freiheit bringen sollte. Die zwei Wochen in der Ukraine hatten uns allen sehr viele Kräfte geraubt und wir sehnten uns danach, nach Europa gebracht zu werden.

Doch der Versuch schlug fehl. Wir bestiegen zwar eine Maschine, die uns nach Italien brachte, doch dann durften wir das Flugzeug nicht verlassen. Unserer ganzen Gruppe wurde wegen unserer falschen Visa die Einreise verweigert und wir wurden im selben Flugzeug gleich wieder zurück in die Ukraine gebracht.

„Was habe ich mir nur dabei gedacht, Armenien zu verlassen?" fragte ich mich in diesen Tagen oft. Mit zwei Kindern all diese Strapazen auf mich zu nehmen, für eine Sache deren Ausgang äusserst ungewiss war – war es das wirklich wert? Doch, sobald ich daran dachte, wieder nach Hause zurückzukehren, wurde mir schnell klar, dass ich keine andere Wahl hatte. Unmöglich konnte ich zurückkehren, um mich und meine Söhne erneut dem Terror auszusetzen, dem wir endlich entkommen waren. Ich wünschte mir aber sehnlichst, dass die Tortur unserer Flucht doch endlich, endlich ein Ende nehmen würde. Erneut wurden wir in einer Absteige untergebracht. Diesmal hatte ich mit meinen Kindern ein kleines Zimmer für uns allein. Doch die Zimmertüre liess sich nicht schliessen. Von draussen hörten wir die Schreie betrunkener Männer, die sich stritten und sich prügelten. Armenier gingen auf Armenier los und auch Ukrainer waren oft in Schlägereien verwickelt. So manche Nacht lag ich wach und fürchtete, jemand würde hereinkommen und uns etwas antun. Mithilfe eines Stuhls versuchte ich die Zimmertüre zumindest einigermassen zu verbarrikadieren. Doch dies konnte natürlich nur sehr wenig zu unserer Sicherheit beitragen. Ein grösserer Schutz war mir aber mein älterer Sohn, der mit seinen 1,85 Metern ein sehr grossgewachsener und auch kräftiger 14Jähriger war. Edward vermochte diese Männer durchaus zu beeindrucken.

Die Tage schlichen schier endlos dahin. So sehr ich mich danach sehnte, endlich weiterreisen zu können, steckten wir doch fest. An diesem Ort blieben wir so lange, dass sogar die Presse auf uns aufmerksam wurde.

In einem erneuten Anlauf, nach Italien zu kommen, versuchten wir es mit gefälschten ukrainischen Pässen. Doch auch diesmal flogen wir auf und wurden zurück in die Ukraine deportiert. Die Sache verlief so: Nachdem einer unserer Gruppe als Schwindler aufgeflogen war, wurden wir alle genauestens unter die Lupe genommen. Und wir wurden enttarnt. Viele weinten. Die Leute waren am Ende ihrer Kräfte und brachen richtiggehend zusammen. Die Nerven lagen blank und die Angst, erneut in diese schrecklichen ukrainischen Camps gehen zu müssen, versetzte einige von uns in Panik. Auch ich war verzweifelt. Würde diese Odyssee denn wirklich kein Ende nehmen? Wir waren nun bereits seit mehreren Monaten auf der Flucht und es war noch immer kein Ende in Sicht.

Damals hatte ich keine Kraft mehr. Mir schien, als würde ich nicht die geringste Energie zum Weitermachen mehr haben.

Zurück in der Ukraine wurden wir in einer acht oder neun stündigen Fahrt in eine andere Stadt gebracht.

Wieder wurden wir in ein verlottertes Camp gesteckt. Diesmal lebten wir in alten, verrosteten Zugwaggons. Der totalen Resignation nahe und ohne Kraft, noch einmal auf eine Veränderung unserer Lage zu hoffen, lebten wir dort.

An diesem Ort wurden Menschen aus verschiedenen Gruppen zusammengebracht. Neue Gruppen wurden gebildet und neue Pläne für eine Reise nach Europa geschmiedet. Natürlich war das Geld erneut ein grosses Thema. Wer bezahlen konnte, erhielt Priorität, Teil einer dritten Reisegruppe nach Europa zu werden. Die anderen mussten in einer dieser dürftigen Unterkünfte bleiben. Da ich kein Geld hatte, musste ich mit meinen Söhnen zurückbleiben.

Anfang September, nachdem wir jetzt schon dreieinhalb Monate auf der Flucht waren, wurde noch einmal eine Gruppe neu formiert. Diesmal fuhren wir nach Odessa, um von hier aus einen Flug nach Italien zu nehmen. Es war nun also schon unser dritter Versuch, in Europa einreisen zu können. Würde es diesmal klappen? Durften wir wirklich noch einmal hoffen?

In einem Hotel mussten wir als Gruppe noch einmal mehrere Tage warten, bis alle Papiere bereitgestellt waren. Doch das Hotel war in Ordnung und die Zeit verlief ruhig. Als Familie konnten wir dort noch einmal neue Kraft tanken.

Und dann kam der Tag, an dem wir abreisten. Mit einem Bus wurden wir zum OdessaFlughafen gebracht, wo wir eine Maschine nach Italien bestiegen. Mailand war unser Zielflughafen. Wir waren alle sehr angespannt. Mit gefälschten Pässen und

Visa in der Tasche mussten wir in Italien irgendwie durch die Passkontrolle gelangen. Obwohl wir uns in Odessa einige Tage etwas ausruhen konnten, waren wir sehr, sehr müde. Die vergangenen Monate hatten uns extrem zugesetzt.

Der Flug verlief ruhig. Doch in Mailand ging der Stress los. Da waren so viele Menschen, die sich vor der Passkontrolle anstellten – und wir waren ganz hinten. Ungefähr zehn Personen unserer Gruppe hatten die Kontrolle bereits erfolgreich passiert, während wir noch immer eine grosse Menschenmenge vor uns hatten. Müde und innerlich angespannt zogen sich die Minuten endlos dahin. Und es waren viele Minuten. Langsam kamen wir vorwärts. Die Beamten schienen nicht im Geringsten in Eile zu sein, wie wir unschwer erkannten, als wir etwas näherkamen.

Unsere Nervosität stieg immer mehr an. „Hoffentlich können sie mir meine Angst nicht ansehen", dachte ich.

Plötzlich wurde der Leiter unserer Gruppe verhaftet. Mir stockte der Atem. Was bedeutete dies nun für uns? Wir mussten davon ausgehen, dass auch wir sorgfältig untersucht und wahrscheinlich ebenfalls entlarvt werden würden. Mussten wir etwa noch einmal in die Ukraine zurück? Ich glaubte einem Nervenzusammenbruch nahe zu sein.

Mehrmals wurde der Durchgang gesperrt und weitere Armenier weggebracht. Was würde nur mit uns werden?

Uns schien nichts anderes übrig zu bleiben, als weiterhin anzustehen, um den Beamten unsere Papiere vorzuweisen. Mit einem freundlichen Lächeln wurden wir in Italien willkommen geheissen und durften durchgehen. Ich glaubte zu träumen. Als wir uns von der Passkontrolle entfernten, wagte ich nicht, mich noch einmal umzusehen. Aus den Augenwinkeln sah ich, wie meine beiden Söhne versuchten, ihre Tränen zurückzuhalten. Auch ich war den Tränen nahe. Kurze Zeit später hatten wir das Flughafengebäude verlassen. Als wir gerade an einer italienischen Polizistin vorbeigehen wollten, nickte sie uns freundlich zu. Ihre Augen blickten sehr verständnisvoll.

„Bitte, was geht hier eigentlich vor?" fragte ich sie auf Russisch, während ich mit dem Kopf zurück auf den Kontrollpunkt zeigte. Und tatsächlich, diese Polizistin vermochte mir auf Russisch zu antworten.

„Gerade musste der Leiter einer Schlepperorganisation an der Einreise gehindert werden. Er bleibt hier. Aber gehen Sie einfach weiter – willkommen in Italien!"

Das taten wir auch. Wir gingen einfach weiter.

Vor dem Gebäude traf ich auf jemanden aus unserer Gruppe, der mich zu den Bussen winkte, mit welchen wir weiterreisen sollten. Drei Busse standen bereit und meine Söhne und ich fanden im hintersten Platz.

Als wir es uns gemütlich gemacht hatten und der Bus sich in Bewegung setzte, wurde mir plötzlich klar, dass wir jetzt zwar Europa erreicht hatten, jedoch nach wie vor auf der Flucht waren.

10. Wir wollen Asyl

„Die Reise an euren Zielort ist teurer geworden als wir erwartet hatten", begann einer unserer „Reiseleiter" seine Ansprache. Er stand im Gang unseres fahrenden Busses und uns allen mag sehr wohl klar gewesen sein, worauf die Sache hinauslaufen würde.

„Wir brauchen mehr Geld!"

Ein Raunen ging durch die Reihen, denn wir alle hatten für unsere Flucht bereits weit mehr bezahlt, als uns anfänglich gesagt wurde. Doch was sollten wir tun? Unser Bus brauchte nun einfach Treibstoff, der auch in Italien nicht umsonst zu haben war.

Die Leute nahmen ihre Geldbeutel hervor und gaben dem Leiter, was sie entbehren konnten. Dabei kam er mir immer näher. Was sollte ich nur tun? Ich hatte wirklich kein Geld mehr übrig.

„Und was ist mit dir?" fragte mich der Leiter.

„Bitte, ich habe kein Geld mehr", versuchte ich ihn zu besänftigen.

„Was soll das heissen? Alle müssen jetzt ihren Beitrag leisten, damit wir unser Ziel erreichen können!"

„Aber ich habe nur noch 25 Dollar. Und etwas Kleingeld brauche ich doch für mich und meine Kinder."

Letztlich akzeptierten unsere Reiseleiter dann aber, dass ich nicht mehr bezahlen konnte. Viele Flüchtlinge unserer Gruppe waren erfolgreich direkt von Eriwan durchgekommen. Da ihre Flucht nur wenige Tage gedauert hatte, verfügten sie über Geld. Diese Leute hatten Mitleid mit uns, die wir monatelang in ukrainischen Lagern die Hölle durchmachen mussten. Auf Rastplätzen kauften sie uns etwas zu essen und versuchten, uns auf allerlei Weise unter die Arme zu greifen.

Durch die Organisatoren erhielten wir nicht die geringsten Hinweise über unsere Reiseroute. So hatte ich keine Ahnung, welche Länder wir passieren würden.

Nach einigen Stunden Fahrt, wurde uns befohlen, alle Vorhänge im Bus zu schliessen. Wir waren gerade dabei, eine Grenzkontrolle zu passieren und durften auf gar keinen Fall die Aufmerksamkeit der Zollbeamten auf uns ziehen. Der Bus wurde immer langsamer und hielt zuletzt ganz an. Emsig diskutierten viele von uns darüber, in welches Land wir gerade kamen.

Meine Neugierde war schliesslich zu gross. Vorsichtig öffnete ich den Vorhang einen kleinen Spalt, damit ich nach draussen sehen konnte. Ich weiss nicht mehr, was mir Anlass dazu gab, doch sofort war mir sonnenklar, wo wir waren. „Das ist die Schweiz!" sagte ich leise vor mich hin. Ein Land, zu welchem ich keinen Bezug hatte, übte genau in diesem Augenblick eine beruhigende Wirkung auf mich aus.

„Woher weisst du, dass dies die Schweiz ist?" wurde ich gefragt.

„Ich habe keine Ahnung. Aber ich bin ganz sicher: Hier ist die Schweiz!" Meine Mitreisenden sahen mich nur komisch an.

Der Halt an der Grenze dauerte einige Zeit. Mir schien es eine Ewigkeit zu dauern. Wenn unsere gefälschten Visa aufflogen, würden wir wahrscheinlich erneut in die Ukraine zurückgewiesen.

Sekunden und Minuten verstrichen unsagbar langsam. Doch endlich wurden wir durchgewinkt und der Bus konnte die Fahrt wieder aufnehmen. Wir entspannten uns und öffneten auch unsere Vorhänge wieder. Es gelang mir kaum, meine Augen von der Landschaft abzuwenden. Immer mehr Berge wurden vor uns sichtbar.

„Das sind die Alpen!" Ich erinnerte mich an die Postkarte, welche uns meine Tante aus den Ferien in Europa geschickt hatte. Doch eigentlich wusste ich über die Schweiz nicht viel mehr, als dass es ein Alpenland ist.

Nachdem wir eine Weile gefahren waren und die Alpen durchquert hatten, machten wir in der Nähe von Luzern eine Pause. Als ich mit meinen Söhnen den Bus verlassen hatte, stand für mich plötzlich eine Entscheidung fest.

„Edward, Vahram: Hier bleiben wir. In der Schweiz werden wir Asyl beantragen."

Die Reiseleiter waren über diesen spontanen Entscheid alles andere als glücklich. Zu Beginn hatten wir unsere Absicht erklärt, nach Belgien zu reisen. Die Papiere waren entsprechend bereitgestellt. Was sollte das nun? Für die ganze Gruppe war es ein Risiko, wenn sich die Konstellation veränderte.

Es gab einige Wortwechsel. Die Reiseleiter waren gar nicht einverstanden. Doch ich hielt an meinem Entschluss fest: Wir würden in der Schweiz bleiben. Es blieb ihnen nichts anderes übrig, als uns auf dieser Raststätte zurückzulassen und weiterzufahren. Unsere Pässe behielten sie jedoch bei sich, versprachen aber, diese meiner Schwester in Armenien zurückzugeben. Die Pässe sind aber leider nie bei ihr angekommen.

Eine weitere Armenierin, welche von Anfang an beabsichtigt hatte, in die Schweiz zu fliehen, blieb bei uns. Auch eine armenische Familie, die in die Schweiz zu Verwandten wollte, war bereits ausgestiegen.

„Geh in das Bistro, suche dort ein Telefon und rufe die Polizei an!" gab ich meinem älteren Sohn, Edward, die Anweisung. Nach kurzem Sträuben gehorchte er. Ich verspürte eine grosse Freude. Obwohl ich nur 25 Dollar in der Tasche hatte und der Ausgang unseres Antrags auf Asyl äusserst ungewiss war, fühlte ich mich plötzlich sehr sicher. Es schien, als wäre ich mit meinen Jungen zu Hause angekommen.

Es dauerte nicht sehr lange, bis zwei Polizeiautos mit Blaulicht vorfuhren. Edward ging auf sie zu und erklärte auf Englisch, wer wir waren und dass wir Asyl beantragen wollten.

Ein Polizist studierte unsere Papiere ganz sorgfältig. Dann nickte er leicht mit dem Kopf und sagte: „Von Mailand seid ihr also gekommen. Dann werden wir euch wieder nach Mailand zurückschicken. Die zuständigen Beamten dort werden mit euch verfahren müssen."

Wir alle erschraken sehr. Und Edward begann beinahe auszurasten. „Nein, auf keinen Fall gehen wir nach Mailand oder sogar in die Ukraine zurück!" schrie er. „Wenn Sie uns zurückschicken, werde ich mich umbringen!"

Nach dem Schreck über die angedrohte Rückweisung, kam jetzt noch der Wutausbruch Edwards. Er hatte tatsächlich mit Selbstmord gedroht. War er wirklich derart am Ende seiner Kräfte angekommen, dass er sich selbst etwas antun würde?

„Wir können nicht mehr!" schrie er weiter. „Wir haben so viel Schreckliches durchgemacht, wir gehen auf keinen Fall mehr zurück. Ihr müsst uns einfach erlauben hier zu bleiben."

Mein schönes Gefühl, zu Hause angekommen zu sein, war natürlich verflogen. Stattdessen erfüllte mich panische Angst. Doch auch den Polizisten schien inzwischen klargeworden zu sein, dass wir nicht nur zum Spass Asyl beantragten. Schliesslich wiesen sie uns an, in ihr Auto einzusteigen. Auf der Rückseite des Polizeiautos befand sich jeweils ein abgetrennter Teil, welcher mit Eisenstäben versehen war. Es war wohl ein Transportfahrzeug für Gefangene. Ich frage mich, ob sie bewusst mit diesem Fahrzeug gekommen waren, weil sie damit rechneten, uns festnehmen zu müssen. Wahrscheinlich war es so.

„Kommt erst einmal auf die Polizeistation mit", sagte einer der Polizisten. „Wir werden morgen weiter schauen." Und wir fuhren los.

Sie brachten uns zu einer Unterkunft, wo wir duschen und etwas essen konnten. Meine Söhne genossen es sehr. „Mutter, freue dich, wir sind in Freiheit! Wir haben es geschafft!" Unaufhörlich versuchten sie, mich so zu ermuntern. Ich ahnte jedoch, dass noch einige Hürden auf uns zukamen. Und würden wir überhaupt in der Schweiz bleiben dürfen? Zum Glück war ich zu müde, um mir noch viele Gedanken zu machen.

Fälschlicherweise wurden wir so informiert, dass wir bei Ankunft in unserem Zielland unsere Reisepässe und alle Unterlagen vernichten sollten. So zerriss ich meinen russischen Reisepass und spülte die Fetzen die Toilette hinunter. Alle weiteren Papiere wie Geburtsurkunden, Scheidungspapiere und den Nachweis, Mitglied der kommunistischen Partei zu sein, behielt ich aber bei mir.

Am nächsten Morgen wurden wir von der Polizei befragt. Dabei geschah es, dass die Polizei die zurückbehaltenen Dokumente entdeckte und diese beschlagnahmte. Sie nahmen uns Abdrücke von den Fingern und den Ohren, fotografierten unsere Augen, kontrollierten unsere Haarfarben und fragten unzählige Dinge über unsere Herkunft und den Grund unserer Flucht. Mit den Ergebnissen schienen sie zufrieden zu sein, denn sie brachten uns in Luzern an den Bahnhof und drückten uns Fahrkarten nach Basel in die Hände. „Geht nach Basel und meldet euch dort bei der Polizei!" lautete die Anweisung. Die Polizisten blieben auf dem Perron stehen, bis unser Zug abfuhr. Dann waren wir auf uns gestellt. Da wir unbeaufsichtigt weiterreisten, gingen wir davon aus, dass wir nichts mehr zu befürchten hatten.

In Basel eingetroffen mussten wir uns erst einmal durchfragen, bis wir jemanden von der Polizei fanden, der uns weiterhelfen konnte. Der Polizist riet uns, ein Taxi zu nehmen, welches uns zum Empfangszentrum für Asylsuchende bringen würde. So gab ich mein letztes Geld für dieses Taxi aus.

Als wir dort ankamen, war es ungefähr 18 Uhr und ein Pförtner war gerade dabei, das Tor zu schliessen. Sofort rannte Edward hin, um ihn aufzuhalten.

„Bitte, warten Sie noch einen kurzen Moment", bat er auf Englisch. „Wir müssen uns unbedingt hier melden."

„Die Öffnungszeit ist vorbei, wir haben geschlossen."

„Aber sehen Sie doch meine Mutter, meinen kleinen Bruder und die andere Frau. Sie können sie doch nicht einfach draussen übernachten lassen!"

„Das ist nicht mein Problem!" donnerte der Mann. „Sie hätten halt früher kommen müssen. Am besten schlaft ihr irgendwo im Wald und kommt morgen früh wieder."

„Nein", wehrte sich Edward. „Sie dürfen uns nicht draussen schlafen lassen. Bitte öffnen Sie noch einmal für uns." Ja, mein Sohn konnte wirklich sehr hartnäckig sein. Und das kam jetzt überhaupt nicht gut an. Der Beamte ging langsam auf Edward zu, packte ihn am Kragen seiner Jacke und begann, ihn kräftig zu schütteln.

„Du wirst sehr viele Probleme in der Schweiz kriegen, das verspreche ich dir!" schrie er ihn an. „Was erlaubst du dir, eine Sonderbehandlung zu fordern! Ich habe deine Probleme nicht verursacht. Und weshalb sollte ich jetzt den Preis dafür zahlen? Ich habe schon längst Feierabend und ich will nach Hause gehen. Wegen euch komme ich noch zu spät zum Fussballspiel!"

Der Mann war wirklich wütend. Aber auch Edward. Dieser kam nämlich auch gerade in Fahrt und schrie zurück.

„Ihr Fussballspiel interessiert mich überhaupt nicht. Aber meine Mutter und mein Bruder werden diese Nacht nicht draussen schlafen!"

„Ich sage dir noch einmal junger Mann: Du wirst in der Schweiz ganz viele Probleme kriegen."

Zornig und äusserst widerwillig öffnete der Mann das Tor. Währenddessen schimpfte er weiter vor sich hin und sagte, dass wir froh sein könnten, dass er eine armenische Verwandte habe. Mit lautem Krachen schlug er das Tor auf. Ich werde den Klang des klirrenden Metalls nie mehr vergessen. Wütend schritt er zu einem Gebäude, ging hinein und kam mit ein paar Kissen und Bettwäsche heraus, die er uns entgegen schleuderte. „Hier, nehmt!"

Nachdem wir uns am Ende unserer Reise glaubten, fanden wir uns jetzt plötzlich erneut in einem Lager mit sehr, sehr vielen Menschen aus unterschiedlichsten Nationen. Viele von ihnen waren Kriminelle und der Ausgang unseres Verfahrens war immer ungewiss.

Waren wir wirklich am Ziel angekommen? Oder hatten wir letztlich nichts als eine weitere Etappe einer traumatischen Reise erreicht?

11. Empfangszentrum

Kaum wurde uns der Zutritt ins Empfangszentrum gewährt, wurden wir umgehend kontrolliert. Unser ganzes Gepäck wurde sorgfältig durchgesehen. Zweifellos hatte es seine Gründe, dass man sicherstellen wollte, dass wir keine Waffen, Drogen oder andere verbotene Dinge ins Zentrum hineinbringen würden.

Bevor wir einem Zimmer zugeteilt wurden, mussten wir erste Befragungen über uns ergehen lassen. Glücklicherweise gab es dabei keine Schwierigkeiten. Bereits in Armenien aber auch wiederholt auf der Flucht wurde uns beigebracht, dass wir unsere Papiere verstecken oder vernichten sollten. Auch unsere echten Namen sollten wir verschweigen und irgendwelche Geschichten erfinden, welche uns zu einem Asyl berechtigten. Sobald wir unsere wahre Identität preisgegeben hätten, würde eine weitere Flucht so gut wie unmöglich. Überall würden wir erkannt werden. Deshalb sollten wir uns die Möglichkeit offenlassen, mit neuen Namen und einer neuen Geschichte an einem anderen Ort erneut Asyl zu beantragen. So hatte man es uns gesagt. Doch irgendwie kam mir dies verrückt vor und ich entschied, unsere wahre Geschichte zu erzählen und zu vertrauen, dass uns so Asyl gewährt würde. Und in diesem Moment war ich auch viel zu müde, um irgendwelche glaubhaften Geschichten zu erfinden.

Die Sache mit den Ausweisen und persönlichen Dokumenten hatte sich ja auch schon erübrigt. Diese waren uns nämlich bereits von der Polizei in Luzern abgenommen worden. Wahrscheinlich werden Flüchtlingen Ausweise, Dokumente und sogar Fotos abgenommen, damit sie diese nicht später vernichten können. Ich bin nicht sicher. Auf jeden Fall war es mir schon etwas unangenehm, plötzlich ohne jegliche Papiere zu sein.

Nachdem wir unsere Kissen, Bettbezüge und die persönlichen Gepäckstücke ergriffen hatten, führten uns Sicherheitsleute durchs Zentrum. Wir passierten mehrere einstöckige Baracken, bis wir eine davon betraten. Im Innern folgten wir einem langen Korridor. Auf beiden Seiten befanden sich Zimmer, welche jeweils ungefähr zehn oder zwölf Personen eine Schlafmöglichkeit boten. Schliesslich blieben unsere Begleiter vor einer Türe stehen. „Hier könnt ihr schlafen", sagte einer von ihnen, während er mit der Hand auf die halb geöffnete Türe wies. Die Frau aus Eriwan, welche mit uns angekommen war, sowie meine Söhne und ich betraten den Raum.

Inzwischen war es nach neun Uhr abends und es herrschte bereits Nachtruhe. Es war nicht erlaubt, um diese Zeit ein Licht anzuzünden oder sich zu unterhalten. Die Sicherheitsleute, die überall im Zentrum patrouillierten, sorgten dafür, dass diese Weisungen auch befolgt wurden. Für uns als Neuankömmlinge musste natürlich etwas Freiraum gewährt werden. Schnell mussten wir unser Gepäck verstauen und unsere Betten beziehen. Unsere Zimmergenossen standen auf, um uns herzlich zu begrüssen. Wir teilten den Schlafraum mit einigen anderen Personen – einer Inderin und einer Frau aus einem muslimischen Land.

Doch dann wurde das Licht wieder gelöscht und wir wurden ermahnt, uns ruhig zu verhalten. Wir alle waren in Kajütenbetten untergebracht. Mein Bett war oben, gerade über demjenigen meiner Freundin aus Eriwan. Die vielen Eindrücke des Tages liessen mich nicht zur Ruhe kommen und es drängte mich, mich mit jemandem auszutauschen. So setzte ich mich erst einmal auf die untere Matratze. Meine Freundin war ebenfalls noch hellwach und froh, dass ich mich noch etwas zu ihr setzte. So sassen wir nebeneinander und flüsterten miteinander.

„Wo sind wir hier nur?" fragte die Freundin. „Ich habe Angst und komme mir vor wie in einem Gefängnis." Das Gefängnis befand sich tatsächlich angrenzend an die Baracken. In den folgenden Tagen sollten wir noch oft erleben, wie Menschen aus dem Empfangszentrum direkt ins Gefängnis überstellt wurden.

„Ja, mir ist das hier auch nicht so geheuer!" pflichtete ich ihr bei. „Doch wir haben keine andere Wahl."

„Hast du auch das Gerücht gehört, dass sie hier Beruhigungsmittel ins Essen der Asylsuchenden mischen, um sie ruhig zu stellen?"

„Ja, ich hörte, wie eine Frau davon erzählte. Meinst du, dass dies wirklich stimmt?"

„Keine Ahnung."

„Es wurde uns auch verboten, das Zentrum zu verlassen. Das ist wirklich wie ein Gefängnis."

„Und hast du gesehen, wie gut das Zentrum abgeriegelt ist. Da kommt keiner raus, selbst wenn er es versuchen sollte."

Plötzlich, während wir noch miteinander flüsterten, standen Sicherheitsleute mit den Taschenlampen in der Türe, welche immer geöffnet bleiben musste.

„Was ist hier los?" fragte eine Männerstimme, während er uns mit der Taschenlampe anleuchtete.

„Es ist Zeit zum Schlafen. Wie wir Ihnen gesagt haben, müssen Sie ab neun Uhr abends in Ihren Betten liegen. Unterhaltungen sind nicht gestattet!"

Ich versuchte etwas einzuwenden, doch der Mann deutete mit einer harschen Bewegung an, dass ich sofort zurück in mein Bett gehen musste. Nun war ich aber mit nichts als einem TShirt bekleidet und ich genierte mich, vor diesen Sicherheitsmännern aufs obere Bett zu klettern.

„Bitte!" sagte ich und deutete auf meine nackten Beine. Doch der Mann stand mit seiner Taschenlampe vor mir und deutete erneut sehr energisch zum oberen Bett.

„Könnten Sie nicht zumindest die Taschenlampe ausmachen, während ich hinaufklettere?" bat ich. Doch er hatte kein Erbarmen. Es blieb mir nichts anderes übrig, als mein TShirt so gut es ging nach unten zu ziehen und in mein Bett zu klettern. Der Mann beleuchtete mich die ganze Zeit hindurch mit seiner Taschenlampe – so lange, bis ich unter meine Decke gekrochen war und die Augen geschlossen hatte. Ich fühlte mich zutiefst gedemütigt.

In dieser Nacht fiel es uns allen schwer, Schlaf zu finden. Doch irgendwie mussten wir uns an diesem Ort einleben. Glücklicherweise blieb der Zwischenfall vom ersten Abend aber die einzige Begebenheit, wo wir in irgendeiner Form schikaniert wurden. Ansonsten wurden wir von den Sicherheitsleuten und auch von den anderen Angestellten immer anständig behandelt. Trotzdem war das Leben im Empfangszentrum sehr rau und erinnerte mich oft an Schilderungen von Konzentrationslagern – obwohl dieser Vergleich für Menschen, welche jemals in einem KZ inhaftiert waren, wohl respektlos klingen mag.

Nach wenigen Tagen zog eine muslimische Familie aus Tschetschenien in unserem Zimmer ein. Das gab uns zumindest die Möglichkeit, uns auf Russisch zu unterhalten. Die Familie nahm ihren Glauben sehr ernst und praktizierte ihre festgelegten Gebete sehr gewissenhaft. Mit Tüchern trennten sie sich einen kleinen Raum ab, wo sie ungestört beten konnten. Meiner Freundin gelang es jedoch nicht, ihre Neugier zu bändigen. Schon sehr bald trat sie in den „Gebetsraum" ein und meldete sich mit den Worten „ich will sehen, wie ihr betet" an. Der Muslim ignorierte sie einfach und verrichtete seine Gebete. Die Vermutung liegt jedoch nahe, dass ihn die Störung genervt hat.

Die Art und Weise, wie wir Armenier mit den anderen Flüchtlingen Kontakt aufzunehmen versuchten, war mit Sicherheit immer mal wieder etwas zu forsch. Wir sind direkt und manchmal wohl auch etwas rüpelhaft. Glücklicherweise gerieten wir dabei aber nie in ernsthafte Konflikte mit anderen Menschen. In unserem Zimmer pflegten wir schöne Kontakte. Unsere unterschiedlichen kulturellen Gepflogenheiten brachten uns manche lustigen Geschichten ein. Es ist gut, wenn man in solchen Situationen zusammen lachen kann. Das entschärft manche Lage, die auch in einen Streit hätte ausarten können. Mit der tschetschenischen Familie stehen wir bis heute noch in freundschaftlichem Kontakt.

In der Mitte jeder Baracke befanden sich die sanitären Anlagen. Ungefähr 30 oder 40 Personen mussten sich die Duschen und Toiletten teilen. Nur Männer und Frauen waren separiert.

In der Nacht waren die Baracken verschlossen. Wir konnten also nicht rausgehen. Morgens zum Frühstück hatten wir Zimmer und Baracken zu verlassen. Während der nächsten Stunden war uns der Zutritt in unsere Zimmer verwehrt. In dieser Zeit wurden alle Schlafräume aufs sorgfältigste durchsucht. Vormittags wurden die Baracken aber auch immer gründlich geputzt. Im Vergleich zu den Lagern in der Ukraine herrschten hier Sauberkeit und eine klare Ordnung, welche Gewalt und kriminelle Machenschaften extrem eindämmte.

Es gab auch viele Möglichkeiten zur Mitarbeit. In verschiedenen Bereichen konnten sich die Flüchtlinge einbringen und damit kleine Belohnungen wie Äpfel oder Taschengeld verdienen. Edward betätigte sich in der Küche, wo er auch einiges lernen konnte. Für meinen vierzehnjährigen Sohn war dies ein grosses Privileg und brachte uns als Familie auch den Vorzug, dass er immer wieder einige Lebensmittel mitbringen durfte.

Der Mann, welcher uns am ersten Abend so widerwillig in Empfang genommen hatte, geriet immer wieder mit Edward aneinander. Dabei unterliess er es nicht, immer wieder zu betonen, dass dieser, wegen seines rebellischen Charakters in der Schweiz noch viele Probleme haben würde. Edward hatte mit Sicherheit nicht die Gunst dieses Mannes. Umso berührender war es, als er eines Tages zu meinem Sohn trat, ihm einige Äpfel hinstreckte und sagte:

„Danke für deine Arbeit in der Küche! Die Äpfel hast du dir mehr als verdient."

Ans Essen mussten wir uns auch gewöhnen. Die Menüs waren zwar standardmässig, aber es war halt nicht unsere geliebte armenische Küche. Doch immerhin hatten wir etwas zu essen. Und da wir kein Geld hatten, um uns etwas zu kaufen, waren wir sehr dankbar.

Immer wieder mussten wir zu Befragungen erscheinen. Oft wurden wir dabei getrennt, damit unsere Aussagen anschliessend miteinander verglichen werden konnten. Obwohl ich meine Söhne anwies, die Wahrheit zu sagen, gab es doch hin und wieder Unstimmigkeiten. Eine grosse Versuchung war stets, wenn wir die Antwort auf eine Frage nicht genau wussten. Da wäre es leicht gewesen, im Zweifelsfall etwas zu sagen, was sich für unser Verfahren positiv auswirken konnte. Irgendwie liessen sich diese Widersprüche dann aber auch wieder klären.

Wenn ich daran denke, wie sehr wir in all diesen Befragungen dazu versucht wurden, uns in Widersprüche zu verstricken, wundere ich mich sehr über die vielen Aufforderungen, die Behörden in Asylverfahren anzulügen. Heute bin ich sehr davon überzeugt, dass unser Entscheid, bei der Wahrheit zu bleiben, uns die Türe geöffnet hat, sodass uns letztlich Asyl gewährt wurde.

Nach zwei Wochen waren die ersten Befragungen abgeschlossen und wir waren auch alle auf einer Gesundheitsstation untersucht und geimpft worden. Von nun an durften wir täglich zwischen zwei und vier Uhr nachmittags das Zentrum verlassen. Diese Ausflüge waren jedoch überwacht und bei jeder Rückkehr wurden wir genau kontrolliert.

Nach ungefähr vier Wochen wurde unser Asylgesuch bewilligt. Das war eine grosse Erleichterung! Obwohl wir keine Vorstellung davon hatten, wie ein Leben als Asylanten in der Schweiz aussah, glaubten wir doch, am Ziel unserer Reise angekommen zu sein.

12. Ausländer in der Schweiz

Nach dem positiven Entscheid warteten wir sehnsüchtig darauf, das Empfangszentrum verlassen zu können. Jeden Tag eilten wir zum Anschlagsbrett, um zu sehen, ob unsere Namen aufgeführt waren. Es dauerte eine Weile, bis uns die Behörden einer Unterkunft zuteilen konnten. Doch dann, in der letzten Woche, war es endlich so weit. Wir sahen unsere Namen und dahinter den Ort unserer nächsten Station. Da stand: „Bern".

Wir erhielten die benötigten Fahrkarten, um mit Tram, Zug und Bus das Durchgangszentrum in Bern zu erreichen. Nachdem wir mit allen nötigen Informationen versorgt waren, machten wir uns auf den Weg. Die Familie aus Tschetschenien hatte auch einen positiven Entscheid erhalten und war zur gleichen Zeit demselben Wohnort zugeteilt wie wir. Es tat gut, gemeinsam mit bekannten Menschen reisen zu können. Noch viel mehr bedeutete es mir aber, das Empfangszentrum endlich verlassen zu können. Obwohl wir recht gut behandelt worden waren, erschien mir dieser Ort wie ein Gefängnis. Immer überwacht zu werden und kaum Freiheiten zu haben – das war für mich nicht einfach. Überhaupt schien mir der ganze Raum Basel irgendwie grau und leblos. Ich weiss nicht, woran dies lag, auf jeden Fall war ich froh, mit meinen Söhnen weiterziehen zu können. Auch in Bern lebten wir in einfachen Baracken. Das Leben konnte aber überhaupt nicht mit demjenigen im Empfangszentrum verglichen werden. Wir konnten uns jederzeit frei bewegen, das Zentrum verlassen und wieder zurückkommen. Es gab viel weniger Sicherheitsleute und auch keine Durchsuchungen von Gepäck und Zimmer mehr. Die Angestellten, welche für uns zuständig waren, waren freundlich und kümmerten sich gut um uns. Wir hatten die Möglichkeit, im Zentrum zu arbeiten und so etwas Taschengeld zu verdienen. Edward putzte Toiletten, während ich in der Küche arbeitete. Es war gut, eine Beschäftigung zu haben.

Drei Wochen blieben wir im Durchgangszentrum in Bern, bis wir der Wohngemeinde Sigriswil zugeteilt wurden. Inzwischen war es Oktober.

Sigriswil, oberhalb des Thunersees ist ein wunderschöner Ort. In jener Zeit wurde das Hotel Seeblick für die Unterbringung von Asylanten gebraucht, was uns natürlich sehr zugute kam. Die meisten der hier lebenden Flüchtlinge waren Familien. Wir trafen mit Tschetschenen, Irakern, Afghanen, Iranern und Menschen aus anderen Nationen zusammen. Später kamen auch noch Ukrainer dazu. Diese Vielfalt hielt die Kinder nicht davon ab, zusammen zu spielen. Die Fahrräder, welche für die Kinder zur Verfügung gestellt worden waren, waren natürlich ein weiteres grosses Highlight. Es herrschte wirklich reges Leben im und ums Haus. Es gab auch keine Gewalt oder kriminellen Handlungen.

Das Leben in Sigriswil war für uns ein Stück Paradies auf Erden. Es gab nur eine Sache, welche uns zusehends Mühe machte. Die Kinder konnten keine Schule besuchen. Ich weiss nicht, was der Grund gewesen ist, aber in Sigriswil war für unsere Kinder der Zugang zu einer Schule unmöglich. Abgesehen von kurzen Deutschkursen waren meine Söhne bereits viele Monate lang nicht mehr unterrichtet worden. Doch jetzt, da wir glaubten, endlich sesshaft werden zu können, sahen wir die Notwendigkeit, dieses Thema anzusprechen. Mit der Hoffnung, nicht undankbar zu erscheinen, wandte ich mich dann doch an unsere verantwortliche Person, welche das Thema aufgriff und versprach, sich darum zu kümmern. Doch die Antwort fiel letztlich sehr ernüchternd aus.

„Hier in Sigriswil werden Ihre Kinder nicht zur Schule gehen können", wurde mir gesagt.

„Aber", wandte ich ein. „Wir werden doch jetzt in der Schweiz bleiben. Vielleicht viele Jahre oder sogar für immer. Wäre es denn nicht wichtig, meine Söhne in eine Schweizer Schule schicken zu können?"

Natürlich leuchtete dies ein, doch es schien sich einfach keine Möglichkeit zu ergeben. Das führte letztlich dazu, dass wir nach sechs Monaten erneut umzogen. Wir verliessen Sigriswil und erhielten eine Wohnung in einem Dorf namens Reutigen, wo Edward und Vahram die Möglichkeit hatten, zur Schule zu gehen. Für Edward, welcher nur noch ein oder zwei Schuljahre hätte absolvieren müssen, war der Einstieg eine grosse Herausforderung. Seine Deutschkenntnisse waren nicht gut genug, um dem Unterricht folgen zu können. Aufgrund des unterschiedlichen Schulsystems von Armenien, hätte er auch sehr viel Lernstoff nachholen müssen.

Edward gewann in der Schweiz schnell einige Freunde, die ihm den Tipp gaben, sich doch direkt um eine Lehrstelle zu bewerben. Nachdem er drei Monate lang intensiv Deutsch gelernt und ein erfolgreiches kurzes Praktikum als Automechaniker absolviert hatte, musste er das zehnte Schuljahr absolvieren, was ihm auch mit Erfolg gelang. Anschliessend erhielt er die Möglichkeit, die Lehre zum Metallbauer in der Lehrwerkstätte Bern zu beginnen.

Vahram wurde einer Klasse zugeteilt und versuchte sich einzuleben. Für ihn stellte das Erlernen der deutschen Sprache keine grosse Herausforderung dar. Doch schon bald stellte sich heraus, dass er von seinen Klassenkameraden stark schikaniert wurde. In einem kleinen Dorf, deren Einwohner den Umgang mit Ausländern nicht gewohnt waren, sind Probleme dieser Art keine Seltenheit. Doch für Vahram wurde die Situation immer unerträglicher. Mehrmals sah ich mich als Mutter gezwungen, einzugreifen, um Vahram vor körperlicher Gewalt zu schützen.

Einmal wurde Vahram von anderen Jungen geschlagen. Edward kam dazu und schubste sie zur Seite, um damit die Schlägerei zu beenden. Dann stellte er sie zur Rede.

„Weshalb schlagt ihr meinen Bruder?" verlangte er nach einer Antwort.

„Weil er unsere Sprache nicht versteht."

„Und das ist für euch ein Grund, jemanden zu schlagen?"

„Ja."

Daraufhin begann Edward auf Armenisch auf sie einzureden.

„Versteht ihr mich?" fragte er daraufhin. Die Jungen sahen ihn verständnislos an.

„Nein, wir verstehen dich nicht."

„Dann habe ich also das Recht, euch jetzt auch zu schlagen?" Bei dieser Auseinandersetzung wurde es etwas laut, sodass die Lehrerin auf sie aufmerksam wurde. Sie kam dazu, um Partei zu ergreifen. Sie hatte kaum Verständnis für unsere Lage. Sie sah in uns nur Ausländer und glaubte, dass Ausländer solche Situationen einfach über sich ergehen lassen müssten. Sie meinte, er solle sich nicht beklagen, wenn er von anderen Kindern beschimpft würde. Das sei bei Ausländern normal.

Für uns war es sehr schwierig, wie wir uns in dieser Situation verhalten sollten. Es war offensichtlich, dass wir von der Bevölkerung unerwünscht waren. Doch mussten wir wirklich alles über uns ergehen lassen? Und es waren nicht nur die Schwierigkeiten in Vahrams Schule, welche uns sehr zusetzten, sondern auch viele kleine Begebenheiten mit Nachbarn und anderen Menschen, die uns ablehnten oder sogar richtiggehend zu verachten schienen.

Auch wenn ich die vielen schönen Dinge in der Schweiz erkannte, fühlte ich mich zusehends unwohl. Die dauernde Ablehnung meiner Kinder war für mich sehr schwierig. Die deutsche Sprache zu erlernen, fiel mir ebenfalls nicht leicht. In der Folge war es sehr schwer, eine Arbeit zu finden. Ohne sinnvolle Beschäftigung sass ich viel zu oft herum und kämpfte gegen Niedergeschlagenheit.

Nachdem ich die Sache mit unserem verantwortlichen Sozialarbeiter besprochen hatte, reagierte dieser umgehend. Endlich schien uns jemand Gehör zu schenken und sich für eine bessere Situation einzusetzen. Nach kurzer Zeit durften wir unseren Wohnort nach Spiez verlegen, wo Vahram zur Schule gehen konnte. Für mich war es eine grosse Erleichterung zu sehen, dass er sich jetzt gut in die Klasse einfügen konnte, welche ihn auch von Anfang an akzeptierte.

Meinen Söhnen fiel die Integration leicht. Vahram fand in seiner neuen Schule schnell Freunde und auch Edward war bald in einem Freundeskreis integriert. Er verliebte sich auch in eine junge Schweizerin und nach einigen Jahren machten sich die beiden ernsthafte Gedanken zu heiraten. Ja, meine Söhne schienen wieder Boden unter den Füssen zu gewinnen und sich in der Schweiz einzuleben. Mir selbst fiel dies jedoch nicht so einfach. Obwohl ich in Sicherheit war und meine Existenz einigermassen gesichert war, litt ich doch unter den vielen Verletzungen meiner Ehe und den traumatischen Erfahrungen der Flucht. Irgendwie musste ich mit meiner Vergangenheit zurechtkommen.

Meinen Wunsch, in der Schweiz als Tierärztin zu arbeiten, musste ich wohl oder übel begraben. Mein Studium von Armenien wurde in der Schweiz nicht anerkannt. Besonders schlimm empfand ich die Tatsache, dass ich sogar als Assistentin nicht qualifiziert war. Trotzdem versuchte ich, irgendwie in dieser Branche Fuss zu fassen. Ich bewarb mich als Reinigungskraft in Tierpraxen, doch selbst hierfür hatte niemand eine Verwendung für mich. Eine Möglichkeit für eine nötige Weiterbildung ergab sich ebenfalls nicht.

Nach vier Jahren in der Schweiz war ich verzweifelt. Ich kündigte meinen Söhnen bereits an, wieder zurück nach Armenien zu wollen. Wahrscheinlich hatte sich meine frühere familiäre Situation beruhigt und Varuschan hatte inzwischen bestimmt akzeptiert, dass er ohne mich leben musste. Die Kontakte, welche ich nach Armenien pflegte, schienen mir zu bestätigen, dass eine Rückkehr riskiert werden könnte.

Hier in der Schweiz fristete ich ein Leben der Sinnlosigkeit – was konnte ich schon verlieren, wenn ich einen Neuanfang in Armenien versuchte? Ich würde nur noch warten, bis meine Söhne eine Ausbildung absolviert hätten und dann selbst entscheiden konnten, ob sie nach Armenien kommen oder in der Schweiz bleiben wollten.

Die Mentalität der Schweizer entsprach mir nicht. Um meine schwermütigen Phasen in den Griff zu kriegen, suchte ich regelmässig einen Psychiater auf, welcher versuchte, mir irgendwie zu helfen. Es schien aber nicht viel zu nützen. Ich begann zwar gewisse Zusammenhänge zwischen meiner Vergangenheit und meinem aktuellen Befinden zu verstehen, dies besserte aber meinen Zustand nicht merklich.

Damals weinte ich sehr viel. Einmal trat Edward zu mir und sagte: „Mama, bitte weine nicht! Dein Weinen bringt nur Unglück über uns." Das schmerzte mich sehr. Doch so sehr ich mir wünschte, meinen Söhnen eine gute Mutter zu sein, hatte ich keine Kraft mehr, ihnen mit Lebensfreude zu begegnen.

In jenen Tagen erhielten wir einen neuen Nachbarn. Ein 95jähriger Mann zog eine Etage unter uns ein. Sein Name war Erich. Neben Ausländern, Alkoholikern und drogenabhängigen Hundebesitzern, war er eine sehr originelle Erscheinung in unserem Haus. An seine Wohnungstüre hängte er ein grosses Kreuz. Damit wollte er zweifellos dokumentieren, dass er den christlichen Glauben ernst nahm. Er war Pfarrer gewesen, was für ihn mehr Berufung als Job war. Er lebte tatsächlich, auch jetzt im Alter, mit Haut und Haar für seinen Glauben.

Wenn ich ihn im Treppenhaus oder vor dem Haus traf, hatte er immer Zeit für ein Gespräch und stets freundliche Worte für mich. Irgendetwas an diesem Mann faszinierte mich. Damals vermochte ich nicht zu sagen, was es war, doch irgendetwas an Erich übte eine grosse Faszination auf mich aus. Mehrmals lud er mich zu einer Tasse Tee in seine Wohnung ein. Bei diesen Besuchen sprach er immer wieder von Jesus, welcher für ihn ein enger Vertrauter war. Sein Glaube an Jesus ärgerte mich, weil ich zutiefst davon überzeugt war, dass niemand so gläubig sein kann, wie wir Armenier. Schliesslich waren wir die erste christliche Nation überhaupt und hatten es sicher nicht nötig, dass uns jemand belehrte.

Trotzdem hatte der Glaube Erichs doch irgendwie etwas Faszinierendes. In meiner Haltung diesem Mann gegenüber, war ich zutiefst gespalten. Ich belächelte ihn, nahm ihn nicht ganz ernst; und doch glaubte ich, in ihm etwas zu erkennen, was ich selbst zutiefst vermisste. Die Gespräche mit Erich gaben mir immer wieder Kraft zum Weitermachen. In seiner Gegenwart fand ich Anteilnahme und Trost – davon erhielt ich sonst in jenen Jahren nicht gerade sehr viel.

Oft, wenn es mir besonders schlecht ging, klopfte ich an Erichs Tür, und er hiess mich immer willkommen. Damals ahnte ich nichts von der herannahenden Katastrophe und dass Erich in Kürze zu meinem lebenswichtigen Anker werden würde.

13. Tiefpunkt

„Doch, doch, ich kenne Jesus!" beteuerte ich. Erich hatte mir einmal mehr von seinem Freund und Erlöser erzählt. Was dachte er sich auch dabei? Von Geburt her war ich Christin, hatte regelmässig die Kirche besucht.

„Ich bete auch zu Gott", stellte ich klar.

Und doch musste ich erkennen, dass ich nicht dieselbe Beziehung zu Gott hatte, wie Erich. Für mich war Gott eher so etwas wie eine ferne Macht, von der ich mir Hilfe erhoffte. Bei Erich war dies anders. Er lebte in einer echten, lebendigen Beziehung mit Jesus.

Doch noch immer sträubte sich mein Inneres dagegen, mich auf Erichs Art zu glauben einzulassen. Ich war eine stolze Armenierin, stolz darauf, Angehörige des ersten christlichen Landes überhaupt zu sein. Noch immer fuhr ich einmal pro Monat nach Genf, um die armenische Kirche zu besuchen. Um dorthin zu gelangen, brauchte ich knappe vier Stunden und musste am gleichen Tag jeweils auch wieder zurück. Das schien mir wirklich vorbildlich zu sein. Wer nahm denn schon einen derartigen Aufwand auf sich, um einen Gottesdienst zu besuchen?

Erich hingegen schien sich überhaupt nicht zu kümmern, ob sein Leben vorbildlich sei. Er lebte sein Leben, welches ihn offensichtlich erfüllte. Trotz all seinen Eigenarten strahlte er etwas aus, wonach auch ich mich sehnte: Frieden, Freude und Liebe. Das musste ich anerkennen, auch wenn mir all die vielen frommen Sprüche, das überdimensionale Kreuz an der Wohnungstür und die seltsamen unverständlichen Worte beim Beten sehr komisch vorkamen.

Es war wirklich sonderbar. Dieser alte Mann betete leise in Worten vor sich hin, welche mit Sicherheit nicht Deutsch waren. Dabei schien er sich regelmässig zu vergessen, so kam es mir zumindest vor. Doch jedes Mal, wenn er so betete, war ich aus unerklärbaren Gründen zutiefst berührt. Da war dieser Friede, den ich spürte, eine Atmosphäre, die mir zutiefst in meinem Innern wohltat. Manchmal sagte ich mir, dass ich Erich nicht allzu ernst zu nehmen brauchte. Schliesslich war er schon 96 Jahre alt, was doch sicherlich einiges an sonderbarem Verhalten entschuldigen konnte. Doch so sehr ich auch versuchte, die Begegnungen mit Erich rational zu analysieren, wuchs doch langsam eine Erkenntnis in mir, dass er mit Gott auf eine Weise verbunden war, wie ich es nicht kannte. Und gleichzeitig kam eine Sehnsucht in mir auf, diesen Gott ebenfalls in dieser Weise zu erfahren. Diese Sehnsucht wuchs sehr langsam und lange Zeit merkt ich das gar nicht.

Nicht nur ich, sondern auch Vahram ging regelmässig zu einer Tasse Tee bei Erich vorbei. Auch er war von diesem alten Mann fasziniert. Oder vielleicht wäre es besser zu sagen, dass er vom Gott dieses alten Mannes fasziniert war. Jedenfalls vertiefte Vahram seine Beziehung zu Erich sehr. Ich liess ihn gewähren, denn dieser Kontakt hatte offensichtlich einen guten Einfluss auf meinen jüngeren Sohn. Schon bald konnte ich Vahram beobachten, wie er jeweils vor dem Schlafengehen neben seinem Bett niederkniete und betete. Edward nahm die Veränderung im Leben seines Bruders mit Besorgnis wahr. Er war sich darüber im Klaren, dass das veränderte Verhalten Vahrams durch die Besuche bei Erich bedingt war.

„Mutter", sprach er mich eines Tages darauf an. „Ich finde es nicht gut, dass Vahram so viel Zeit mit diesem alten Mann verbringt. Er hat offensichtlich nicht mehr alle Tassen im Schrank."

„Es mag sein, dass Erich etwas verrückt ist", erwiderte ich. „Aber er tut uns wirklich gut. Und ich bin froh, dass Vahram einen Halt im Leben findet." Oftmals war Vahram sichtlich unruhig und gestresst. Wahrscheinlich waren es die Kindheitserfahrungen in Armenien, die Traumata der Flucht und die ständige Ablehnung durch Schweizer Kinder, welche ihre Spuren hinterliessen. All dies waren Prägungen, die er offensichtlich nicht verarbeiten konnte. Doch jedes Mal, wenn er bei Erich war, kam er wieder ruhig und zufrieden zurück. Und dies bedeutete mir sehr, sehr viel.

Für Edward war dies schwer zu verstehen. Wahrscheinlich fürchtete er, seine Mutter und seinen Bruder an eine Sekte zu verlieren. In der armenischen Kirche wurde nämlich gesagt, dass der ständige Gebrauch des Namens Jesus einen Hinweis auf sektiererische Gruppen sei. Ich selbst hatte Erich aus diesem Grund mehrmals einen Sektierer genannt – natürlich nicht in dessen Gegenwart. Ja, dieser alte Mann war mir zuweilen auch etwas suspekt, doch gleichzeitig fand auch ich bei ihm einen Halt, nach dem ich mich sehnte. Besonders wenn ich niedergeschlagen war, fand ich bei Erich Trost.

Oftmals erzählte mir Erich aus der Bibel. Er kannte wirklich sehr viele Passagen daraus und es schien oft, als hätte er immer zur richtigen Zeit den richtigen Text für mich. Nach einer Weile grub ich meine armenische Bibel (welche ich in Basel von der Gideongruppe erhalten hatte) hervor und begann hin und wieder darin zu lesen.

In diesen Tagen wurde Edward achtzehn Jahre alt und damit volljährig. Er wollte heiraten und begann seine Papiere zusammenzustellen. Das stellte sich dann aber als schwierig heraus, da uns einige Papiere, die er dringend gebraucht hätte, auf der Flucht abhandengekommen waren.

So verging die Zeit, während Edward und seine Freundin sich bemühten, die nötigen Vorbereitungen für eine Heiratsbewilligung zu treffen. Es war ihnen sehr ernst und so konnten sie schrittweise all die benötigten Dokumente organisieren. Weil Edward keinen Pass mehr besass, dauerte dieser Prozess drei Monate.

„Edward, wir dürfen heiraten!" tönte es begeistert aus dem Telefon. „Das Standesamt hatte die Bewilligung gegeben."

Doch Edward zeigte keine Anzeichen von Freude.

„Was ist los? Freust du dich nicht?" fragte ich. Sein Blick war Antwort genug.

„Edward, du musst nicht heiraten", versuchte ich auf ihn einzugehen. „Es ist noch nicht zu spät."

Edward sah mich mit traurigen und hilflosen Augen an.

„Aber Mutter", wandte er ein. „Ich habe doch versprochen zu heiraten. Und dies ist unsere Chance, hier in der Schweiz zu bleiben. Es ermöglicht mir, meine Lehre abzuschliessen und mit meinem Einkommen für uns alle zu sorgen."

Mir stockte der Atem. Wollte sich Edward tatsächlich für unsere Familie mit dieser Ehe aufopfern. Das durfte nicht sein!

„Nein Edward! Tue das nicht! Es gibt bestimmt eine andere Lösung."

„Aber welche denn?"

„Ich weiss nicht. Aber es wird auf jeden Fall einen Weg geben. Du darfst nicht nur deshalb heiraten, damit wir hierbleiben können."

Wir konnten uns nicht einigen. Neben all den Schwierigkeiten, die wir ohnehin schon hatten, fanden wir uns plötzlich vor einen neuen familiären Konflikt gestellt. Und schon am nächsten Tag ging die Diskussion weiter, welche bald schon in einen lauten Streit ausartete.

„Wir müssen uns einen Anwalt nehmen, welcher uns hilft!" forderte ich.

„Nein, das bringt nichts. Es gibt keinen Weg", widersprach Edward.

„Vergiss jetzt endlich deine Heirat!" fuhr ich ihn sehr wirsch an.

„Hör mir doch mal zu und denke nicht nur an deine Sache."

Alles in mir schrie „Nein!" Edward durfte diese Ehe nicht eingehen. Die Erinnerungen an all die schrecklichen Erfahrungen meiner Ehe kamen mit aller Kraft wieder hoch. Es durfte einfach nicht sein, dass mein Sohn ohne innere Gewissheit und ohne

Liebe eine Ehe einging. Auch gegenüber seiner Freundin war dies unfair. Mit aller Kraft und auch einigen Kraftausdrücken versuchte ich, meinen Sohn zur Vernunft zu bringen. Ich war mir sehr wohl bewusst, dass ich ihn damit sehr verletzte, doch es war mir schlicht unmöglich, mich zurückzuhalten.

„Mutter, du hast keine Ahnung, was du da redest." Edward blickte mich nur mit traurigen Augen an und verliess die Wohnung, ohne mir zuvor den üblichen Abschiedskuss zu geben. Den unterliess er sonst nie. Meine Gedanken überschlugen sich. Da bahnte sich eine Tragödie an und ich war unfähig, etwas dagegen zu unternehmen.

Edwards Freundin hatte ihm zur bestandenen Fahrprüfung einen alten BMW gekauft. Nachdem das Auto eine Zeit lang seine Dienste geleistet hatte und weil Edward gerade in Geldnot war, entschied er sich, das Fahrzeug zu verkaufen. An diesem Tag hatte er sich nun mit einem Freund verabredet, um den Verkauf über die Bühne zu bringen. Das konnte eine Weile dauern und ich musste zu Hause warten, um unseren Konflikt später weiter auszutragen.

Es war der Freitag, der 27. August 2004.

Den ganzen Tag hindurch kämpfte ich gegen meinen inneren Drang, Edward anzurufen und mich für meine harten Worte zu entschuldigen. Doch ich tat es nicht. Immer wieder schien eine Stimme in mir zu mahnen: „Ruf ihn an!" Mein Stolz liess es aber nicht zu.

Schliesslich ging ich zu Bett. Doch Träume von Edward verfolgten mich. Mehrmals erwachte ich und meine Gedanken drehten sich um meinen Sohn, den Konflikt mit ihm und die verletzenden Worte, die ich ihm vor seinem Weggehen an den Kopf geworfen hatte.

Es war etwas vor sieben Uhr morgens, als es an der Wohnungstür klingelte. Weil es Samstag war, lag Vahram noch im Bett und ich stand schnell auf, zog mir einen Mantel über und ging zur Tür.

Es war der 28. August.

Vor der Tür standen Edward Freundin, deren Mutter, ein Polizist und ein weiterer Mann. Es war als würde mir das Herz stehen bleiben. Diese Menschen, denen das Entsetzen ins Gesicht geschrieben war, vor mir zu sehen, liess mich sofort ahnen, welche Unglücksbotschaft mich erwartete.

Edwards Freundin kam auf mich zu. Sie wollte mich umarmen, doch ich wich zurück. Schnell gab ich die Türe frei und liess die Gruppe an mir vorbei ins Wohnzimmer treten. Es war als würde die Welt um mich herum stillstehen.

„Edward ist tot." Schliesslich war ich es, die die Worte aussprach, die nur allzu deutlich in der Luft hingen. Vahram stand plötzlich bei uns und begann laut zu schreien. Ich selbst stand unter Schock. Ich erinnere mich, wie der Polizist einige Anrufe tätigte, während mich die beiden Frauen zu trösten versuchten. Der zweite Mann, ein Sozialarbeiter, versuchte auf mich einzugehen, doch ich war zu keinerlei Gespräch in der Lage. Schon sehr bald begann ich Verwandte anzurufen, um sie über den Tod Edwards zu informieren. Zu diesem Zeitpunkt funktionierte ich absolut emotionslos, wie eine Maschine.

Meine Schwester weinte, meine armenische Freundin, welche mit uns in die Schweiz gekommen war, weinte. Alle weinten, alle ausser mir.

Während ich meine Verwandten in Armenien anrief, beobachtete ich, wie Vahram neben mir erneut in lautes Weinen ausbrach. Doch in mir regte sich noch immer nichts. Es war als wäre ich für jegliches Gefühl unfähig.

Totaler Schockzustand.

„Edward ist tot", informierte ich meine Nachbarn emotionslos. Sie waren entsetzt und einige von ihnen begannen sofort zu weinen. Schnell verabschiedete ich mich und ging weiter.

An der Türe Erichs klingelte ich ebenfalls.

„Was ist denn los?" fragte er, als er uns so vor der Türe stehen sah. Sofort muss Erich erkannt haben, dass da irgendetwas nicht stimmte.

„Mein Sohn Edward ist tot", antwortete ich.

„Kommt rein!" Erich trat zur Seite und lud mich mit einer leichten Armbewegung ein, reinzukommen. Wie im Traum folgte ich seiner Aufforderung und sass auch schon in seinem Wohnzimmer.

„Wo ist er jetzt, dein Gott?" platzte ich mit einer Frage heraus.

„Beruhige dich, Asya", sagte Erich. „Wir können später noch über diese Frage reden. Aber komm erstmal zur Ruhe. Gib nicht Gott die Schuld oder irgendeinem Menschen."

Und dann begann Erich für mich und auch für Vahram zu beten. Ich habe ihm nicht zugehört. Zwischendurch richtete er aber einige Worte an mich, welche ich nicht mehr vergessen konnte. Er wies auf das grossartige Geschenk von Edwards Leben hin, welches Gott mir für eine Zeit gegeben hatte. Das war Grund, um dankbar zu sein. Ich sass einfach da und liess Erich reden. Doch innerlich beruhigte ich mich. Der Schockzustand liess nach und es war, als würde ich aus einem Alptraum erwachen; nur um dann zu merken, dass alles wirklich Realität war.

Auch Vahram schien Trost zu finden und beruhigte sich von seinem lauten Weinen. Wie lange wir an diesem Vormittag bei Erich im Wohnzimmer sassen, weiss ich nicht mehr. Es war eine ganze Weile, länger als sonst. Später kamen Leute vorbei, um zu kondolieren und uns in diesen schweren Stunden beizustehen. Nachbarn, Freunde, davon viele Ausländer, kamen zu uns. Es waren wirklich viele Menschen, die sich an jenem Tag in unserer Wohnung einfanden.

Von der Einwohnergemeinde Spiez erhielten wir gute Unterstützung für die Beerdigung und alle Formalitäten, welche es zu erledigen galt. Auch Freunde standen uns in dieser Zeit zur Seite, was uns sehr viel bedeutete.

Da es sehr viele Gespräche und auch Schreibarbeiten mit Behörden und anderen Stellen gab, war ich froh, dass sich eine Frau anerbot, uns zu übersetzen. Sie war russischsprachig, sprach aber auch hervorragend Deutsch. Sie war uns wirklich eine grosse Hilfe. Und schon bald merkte ich: Sie war eine, die wie Erich eine reale Beziehung mit Jesus pflegte. Der Kontakt mit ihr sollte sich in näherer Zukunft noch auf sehr schöne Art vertiefen.

In jener Zeit hörte ich aber Dinge, die mich zutiefst erschütterten. Einige Personen aus den Behörden, welche in jüngerer Vergangenheit einige schlechte Erfahrungen mit Edward gemacht hatten, äusserten sich sehr abschätzig über dessen Tod. So soll beispielsweise jemand von der Gemeindeverwaltung gesagt haben: „Es ist kein Schaden für die Bevölkerung, dass der jetzt tot ist." Solche Dinge zu hören ist für eine Mutter sehr schlimm. Und auch wenn Edward tatsächlich einige Integrationsprobleme hatte, war er doch mein Sohn und grundsätzlich ein sehr guter Junge gewesen. In meiner Zeit der Trauer fühlte ich mich von den Behörden zutiefst verraten. Es war sehr, sehr schmerzlich.

Ich brauchte lange, um mich innerlich wieder mit Spiez zu versöhnen.

Für die Beerdigung mussten einige Entscheidungen sehr schnell getroffen werden. „Möchten Sie Ihren Sohn in der Schweiz beerdigen? Sonst kremieren wir ihn und Sie können die Urne nach Armenien mitnehmen, um ihn dort zu beerdigen."

Das waren für mich schwierige Entscheidungen, besonders da ich mit dem Wissen aufgewachsen war, dass Kremierung eine Sünde vor Gott sei. Doch war das wirklich so? Mein armenischer Priester aus Genf beschwichtigte mich und sagte, dass dies in meiner aktuellen Situation keine Sünde sei.

„Du hast ja gar keine andere Wahl", sagte er mir. Und er ermutigte mich, die Urne in Armenien zu bestatten.

Also konnten die Vorbereitungen getroffen werden. Der Leichnam sollte von Spiez nach Thun transportiert und dort kremiert werden. Zur gleichen Zeit wurden die Pässe von Vahram und mir vorbereitet, um uns eine Reise nach Armenien zu ermöglichen.

Diese Tage waren sehr stressig. Bei Erich fand ich zwar immer wieder eine Oase der Ruhe. Trotzdem waren jene Tage von Verzweiflung gezeichnet, und der Wunsch in mir wurde immer stärker, zurück nach Armenien zu gehen – selbst, wenn mich dort vielleicht ebenfalls erhebliche Probleme erwarteten.

Mein Psychiater machte sich ernsthafte Sorgen um mich und fürchtete sogar, dass ich mir in dieser Zeit etwas antun würde. Er konnte aber nicht mehr tun als mir Antidepressiva zu verschreiben. Diese Tabletten hatten jedoch starke Nebenwirkungen: ich litt unter Alpträumen und oft wachte ich schreiend auf. Angstzustände nahmen immer mehr zu, was dazu führte, dass ich das Haus nicht mehr verlassen konnte.

Auch Vahram traute sich nicht mehr zu schlafen und hatte richtiggehend Panik, mich zu verlieren. Schliesslich sah er keinen anderen Ausweg mehr, als meine Tabletten zu nehmen und wegzuwerfen. Von da an verzichtete ich darauf, mir neue zu besorgen.

14.Neues Leben

„Gott, wieso hast du mir meinen Sohn genommen?" Immer und immer wieder richtete ich diese Frage gegen den Himmel.

Keine Antwort! Wie immer.

Kümmerte sich Gott denn nicht um mich? Hatte er mich für meine Sünden der Vergangenheit bestraft? Oder war er etwa doch ein liebloser Gott, der seinem Zorn willkürlich Ausdruck verleiht?

Wochenlang trieben mich diese Fragen um. Zusätzlich zu meinem Schmerz nagten diese Gedanken an mir. Manchmal, wenn ich glaubte, dass Gott mich strafen würde, kam eine grosse Scham über mich. Dann wiederum machte ich Gott für den Tod verantwortlich und ich konnte wirklich wütend auf ihn werden.

Meine neue Freundin, die mir als Übersetzerin sehr viel geholfen hatte, löcherte ich mit zahllosen Fragen. Fragen, welche einerseits von Zorn, andererseits aber auch von echtem Wissensdurst getrieben waren.

„Gott ist Liebe. Auch dann, wenn wir ihn nicht verstehen", pflegte sie jeweils zu sagen. Vielleicht hatte sie Recht, aber ich konnte diese Worte in meinem Herzen nicht annehmen. Zu meinem Nachbarn Erich ging ich weiterhin sehr oft. Manchmal suchte ich Trost und manchmal einfach nur jemanden, den ich mit meinem Groll gegenüber Gott konfrontieren konnte. Doch Erich liess sich von meinen Angriffen nicht irritieren. Oft war es, als könnte er durch meine harten Worte hindurch bis in mein verwundetes und verunsichertes Herz blicken.

„Sag Gott Danke!" forderte er mich häufig auf.

„Was?" wandte ich entsetzt ein. „Weshalb sollte ich Gott nach all dem noch Danke sagen? Bin ich vom Leben denn nicht ohnehin schon viel zu sehr geprüft worden? Gott schickt mir schlimme Dinge. Das ist kein Grund zum Danken."

„Doch, Asya." Er blieb unbeirrt. „Du hast achtzehn Jahre lang einen wunderbaren Sohn gehabt. Edward war ein Geschenk Gottes für dich und auch wenn die Zeit mit ihm kurz war, hat er dein Leben doch bereichert."

„So habe ich mir das noch nie überlegt. Es ist aber nicht einfach."

„Natürlich nicht. Aber es wird dir helfen, Gott für das Gute zu danken, das du von ihm empfangen hast – gerade dann, wenn du vieles nicht verstehst."

Plötzlich sah ich eine Sache klar vor mir: Gott ist gut!

Obwohl Gott den Tod Edwards nicht verhindert hatte, war er doch nicht dafür verantwortlich. Er hatte dies nicht getan, um mich zu bestrafen oder seine Wut an mir auszulassen. Auch wenn ich damals die Gründe dafür überhaupt nicht erkennen konnte, war ich plötzlich fest davon überzeugt, dass Gott diesen schrecklichen Unfall zu einem speziellen Zweck zugelassen hatte und keine Fehler machte.

In jenen Tagen und Wochen suchte ich auch zunehmend in der Bibel nach Antwort und Trost. Je mehr ich las, desto absurder wurde für mich die Vorstellung, dass ein wütender Gott mich wegen meiner vergangenen Fehler bestrafen würde. Vielmehr lernte ich einen liebenden Gott kennen, der immer gute Absichten mit den Menschen hat – selbst dann, wenn sie es nicht verstehen können.

Mein Leben lang war ich einem starken Aberglauben verfallen. So glaubte ich, dass es Unglück bringt, wenn ich mit dem falschen Bein aus dem Bett steige oder wenn eine schwarze Katze vor mir die Strasse überquert. In gewissen Situationen musste ich Holz berühren, um einen drohenden Schicksalsschlag abzuwehren und Komplimente wie „Du siehst heute gut aus" betrachtete ich als Unglücksboten, welche auf einen kommenden Unfall hinwiesen. Ein derartiger Aberglaube ist in Armenien weit verbreitet und auch ich war in diesem furchtsamen Denken gefangen.

Doch die Bibel lehrte mich einen anderen Gott kennen. Sie sprach von einem Gott, der sich um die Menschen kümmert und nicht etwa spitzfindig nach etwas sucht, um uns betrafen zu können.

Damals suchte ich mit aller Macht nach einem Halt und glücklicherweise fand ich diesen Halt bei Gott und der Bibel. Verschiedene Menschen kamen mit Angeboten unterschiedlichster Art zu mir. Eine Frau lud mich zu einem Treffen ein, wo angeblich Kontakt mit den Toten aufgenommen wurde. Das klang schon sehr verlockend. Ich lag in jenen Wochen nachts oft wach und war in meinen Gedanken bei Edward. Ich überlegte mir, wo er wohl gerade war, und stellte mir Gespräche mit ihm vor. So gross die Faszination an den Gedanken, mit Edward Kontakt aufzunehmen, auch gewesen war, so widerstand ich zum Glück dieser Versuchung. Irgendwie spürte ich, dass diese Sache nicht in Ordnung war. Auch Vahram hatte ein sehr schlechtes Gefühl und letztlich riet uns auch Erich mit allem Nachdruck, uns von dieser Frau zu distanzieren.

Nachdem meine Zeit der Trauer bereits zwei Monate gedauert hatte, erhielt ich von Erich eine Anweisung, die mir letztlich sehr geholfen hat.

„Du musst deinen verstorbenen Sohn loslassen!"

„Was soll das heissen?" fragte ich zurück. Diese Aufforderung erschien mir sehr sonderbar.

„Liebst du Edward?"

„Natürlich liebe ich Edward."

„Dann musst du ihn loslassen. Wenn du ihn nämlich nicht loslässt, wird er von dir nicht loskommen und er wird auch traurig sein. Auch dir wird es nicht gut gehen, denn du hängst dich damit in der Totenwelt fest."

Auch wenn ich nicht wirklich verstand, was das alles bedeutete, versprach ich, über die Sache nachzudenken. Es war mir unklar, wie ich Edward loslassen konnte, wenn er ja überhaupt nicht mehr da war.

Doch dann begann ich doch zu glauben, dass Erich die Wahrheit sagte, und beschloss, mich innerlich von meinem verstorbenen Sohn zu trennen. Die Folge davon war schlicht überwältigend. Es war, als würde ich Edward aus einer inneren Umarmung lösen und in die Hände Gottes legen. Das war unsagbar befreiend. Und dann kam eine Freude in mich, die ich nicht erklären konnte.

Heute staune ich darüber, welche befreiende Wirkung das Annehmen von Erichs sonderbaren Worten auf mich hatte.

Von diesem Tag an ging es mit meiner psychischen Verfassung steil aufwärts und ich war sogar in der Lage, Edwards Freundin und auch anderen trauernden Menschen Trost zu spenden.

Für mein Umfeld war diese Veränderung nur schwer nachvollziehbar. „Was war nur mit Asya passiert?" mögen sich viele gefragt haben, denn ich war auf einmal wie verwandelt. Ich liebte es, Besucher zu empfangen, für sie zu kochen und auf deren Probleme einzugehen. Einige Besucher waren über mein verändertes Verhalten derart irritiert, dass sie mir Geschichten von Menschen erzählten, die über den Verlust geliebter Menschen längere Zeit trauerten. Darin war jeweils die Botschaft versteckt, dass ich gerne auch etwas mehr trauern dürfe. Natürlich war ich noch immer traurig über den Tod meines Sohnes. Aber ich war nicht mehr niedergeschlagen und konnte mich wieder über die vielen schönen Dinge des Lebens freuen.

Weiterhin besuchte ich Erich sehr regelmässig. Dabei überraschte er mich einmal mit einer sehr sonderbaren Frage.

„Kennst du Jesus?"

„Dumme Frage", dachte ich bei mir selbst.

„Ja, natürlich kenne ich ihn. Ich bin eine gute armenische Christin, ging in die armenische Kirche und weiss alles über Gott."

„Das ist super!" Erich freute sich wirklich. „Aber es gibt noch sehr viel mehr von Gott zu entdecken und ihn immer mehr kennenzulernen."

Und Erich fragte weiter: „Asya, kannst du eigentlich beten?"

„Natürlich kann ich beten. Das Vaterunser kann ich schon längst auswendig."

„Das ist sehr schön. Und verstehst du auch, was du betest?"

„Natürlich verstehe ich das", bejahte ich. Diese Frage schien mir jetzt wirklich sehr dumm.

Oh, das freut mich!" rief Erich aus. Ich war sehr irritiert über diese sichtbare Freude. „Das freut mich wirklich sehr! Es ist wunderbar!"

Weshalb diese Euphorie? Dieses Gebet zu verstehen war jetzt wirklich kein grosses Meisterstück.

„Was ist denn der Grund, weshalb du dich so freust?" fragte ich schliesslich. Diese Situation war für mich äusserst komisch. In Gedanken ging ich das Gebet noch einmal durch. Die Worte, die mir längst schon vertraut waren, zogen vor meinem inneren Auge vorbei. „Unser Vater im Himmel, geheiligt werde dein Name."

Und plötzlich stand die Wahrheit unausweichlich vor mir: Ich verstand nicht. Ich hatte nicht die geringste Ahnung, was es bedeutete, Gott als Vater zu haben.

„Bitte Erich, ich muss gehen", sagte ich hastig, verabschiedete mich und wollte eilig die Treppe hinauf und in meine Wohnung gehen. Doch noch auf der Treppe brach ich innerlich zusammen. Plötzlich gaben meine Füsse nach. Mitten auf der Treppe musste ich mich hinsetzen.

„Du hast Erich belogen! Du hast keine Ahnung, worum es bei diesem Gebet wirklich geht! Du kennst Gott nicht als deinen Vater!" Eine innere Stimme hielt mir die Wahrheit unaufhörlich vor Augen. Es war keine verdammende Stimme, keine, die mir ein schlechtes Gewissen machte. Da war aber ein Drängen, mein Leben mit Gott in Ordnung zu bringen.

Irgendwie schaffte ich dann doch den Rest der Treppe zu unserer Wohnung hinauf. Ich machte die Tür auf und ging direkt in mein Schlafzimmer. Dort kniete ich mich neben meine Matratze auf den Boden.

Vor mir lag meine Bibel, aufgeschlagen an der Stelle im Lukasevangelium, wo das Vaterunser stand. Meine Augen glitten über den Text und es wurde mir erneut ganz klar: Ich verstand überhaupt nichts. Am Boden kniend erhob ich meine Stimme und sprach ganz offen:

„Jesus, ich habe gelogen! Ich verstehe dieses Gebet nicht." Es war das erste Mal in meinem Leben, dass ich zu Jesus betete. Und ich war es auch nicht gewohnt, meine Gebete so frei zu formulieren. In diesem Moment war es für mich aber das Naheliegendste auf der Welt.

„Ich habe nicht nur Erich belogen, sondern auch dich und mich selbst", betete ich weiter. „Bitte Jesus, hilf mir, dieses Gebet zu verstehen."

Und ich begann laut vorzulesen. Für mich selbst und auch für Jesus, von dem ich in diesem Moment tatsächlich erwartete, dass er mir zu verstehen half.

Bereits mehrmals hatte Erich mir gesagt, dass ich den Namen Jesus aussprechen solle, anstatt nur Gott zu sagen. Denn in diesem Namen sei eine grosse Kraft. Nie konnte ich verstehen, was der alte Mann damit meinte. Doch jetzt erlebte ich selbst diese Kraft, die sich zu mir niederbeugte, sobald ich Jesus bei seinem Namen anrief. Tatsächlich begann ich plötzlich zu verstehen. Es war, als würden mir innere Augen geöffnet, mit denen ich Dinge sehen konnte, die mir bisher verborgen geblieben waren. Ich erkannte meine Fehler plötzlich ganz deutlich. Genauso klar konnte ich aber Gott erkennen, der sich mir tatsächlich als liebender himmlischer Vater offenbarte.

Immer hatte ich mich selbst als einigermassen guten Menschen gesehen. Meinen Mitmenschen hatte ich nichts Schlimmes angetan und glaubte auch sonst, ganz in Ordnung zu sein. Mein Stolz hatte es mir immer verboten, mich als vor Gott bedürftig zu sehen.

Doch jetzt, als ich Jesus gebeten hatte, mir das Vaterunser zu erklären, gingen mir die Augen auf.

„Und vergib uns unsere Sünden", betete ich und war mir jetzt sehr wohl bewusst, dass ich tatsächlich Vergebung brauchte.

„…wie auch wir vergeben unseren Schuldigen." Da waren so viele Menschen, die mir Böses getan hatten und denen ich jede Vergebung verweigert hatte. Mein ExMann Varuschan, Vertreter von Polizei, die mir jegliche Hilfe untersagt und mich zusätzlich schikaniert hatten. Dann waren da die Menschen, die mir das Leben auf der Flucht zur Hölle gemacht hatten und diejenigen, die uns in der Schweiz mit Rassismus und Ablehnung begegneten. Da waren so viele Menschen, auf die ich zornig war. Doch jetzt, als ich von Gottes Liebe erfasst wurde, wollte ich ihnen alles vergeben. Sie alle waren von Gott geliebt und sollten diese Liebe auch erfahren können. „Jesus, ich vergebe ihnen. Bitte vergib auch du ihnen!"

Es war unbeschreiblich befreiend.

„Jesus", betete ich weiter. „Ich gebe dir mein Leben! Alles, was ich bin und habe, soll allein dir gehören. Mache mit mir, was du willst. Ich möchte nicht mehr die Person sein, die ich immer war, sondern diejenige, die du willst." Die Worte brachen nur so aus mir heraus. Es war als würde ich innerlich zerbrechen und gleichzeitig ganz neu geformt werden.

Längere Zeit lag ich ausgestreckt da – halb auf meiner Matratze und halb auf dem Boden. Ich verlor jegliches Gefühl für die Zeit und genoss es einfach, von Gott geliebt und getröstet zu werden. In meinem ganzen bisherigen Leben hatte ich nie, auch nicht annähernd dieses Gefühl der Annahme und Geborgenheit erlebt. Ich hatte meinen himmlischen Vater gefunden. Ich war nach Hause gekommen.

Die Zeit verging, während ich Gottes Liebe in mich aufsog. Irgendwann kam Vahram nach Hause. Es war Zeit, mich dem Leben zu stellen; einem neuen Leben, von welchem ich nicht so recht wusste, wie es aussehen würde, welches ich aber um nichts auf der Welt wieder hergeben wollte.

Erich war natürlich sehr erfreut über das, was Gott in meinem Leben wirkte. Ich war froh, dass ich mich mit meinen vielen Fragen an ihn wenden konnte, und er nahm sich sehr viel Zeit, mir alle Fragen, so gut er konnte, zu beantworten.

Ein unbändiger Wissensdurst drängte mich dazu, die Bibel zu lesen. Das neue Leben, welches ich von Gott empfangen hatte, war für mich schlicht überwältigend. Da war eine neue, bisher unbekannte Freude und vor allem eine Verbundenheit mit dem allmächtigen Gott. In der Bibel fand ich die Erklärung für all das, was ich erlebte. Durch das Lesen der Bibel sprach Jesus immer wieder zu mir. Oft geschah es, dass ich während dem Lesen innehalten musste. Es war, als würde Jesus seinen Finger auf den Text legen und sagen: „Asya, halte mal inne. Das hier geht dich an. Ich möchte es dir erklären." Und dann tat er mir die Augen auf, so dass ich noch viel mehr vom Leben mit ihm verstehen konnte.

Eine Sache, die mir Jesus in diesen Tagen immer wieder zeigte, war die tote Religiosität, welche mein bisheriges Leben bestimmt hatte. Durch äusseres Verhalten glaubte ich, eine gute Christin zu sein, das innere Leben mit Jesus kannte ich hingegen nicht. Ich stellte nun fest, wie wichtig es Jesus war, dass ich mein religiöses Leben ablegte, welches meiner Beziehung mit ihm letztlich nur im Weg stand. Mein ganzes Christsein, wie ich es mir in Armenien angeeignet hatte, entpuppte sich als tote Hülle, welche mir kein Leben bringen konnte. Ich war sehr stolz gewesen auf all die Rituale, an denen ich teilnahm, doch jetzt merkte ich, wie ich mich innerlich davon trennen musste. Je mehr Religiöses ich loswurde, desto weniger Raum hatte mein Stolz. Und genau dort, wo mein Stolz verschwand, wuchs eine tiefe und innige Beziehung mit Jesus.

Diese Tatsache darf ich in meinem Leben immer wieder neu erfahren: Meine Beziehung mit Jesus gewinnt genau dort an Tiefe und Lebendigkeit, wo ich meine eigene Religiosität und meinen Stolz aufgebe.

Der Tag, als ich in meinem Zimmer niederkniete, Jesus um Hilfe bat und ihm schliesslich mein Leben hingab, ist der entscheidendste und wichtigste Tag meines ganzen Lebens. An diesem Tag wurde für mich alles anders. Ich wurde von Gott unendlich reich beschenkt. Er gab mir das Leben, nach dem ich mich zutiefst gesehnt hatte.

15.   Freundschaften

Die Frau, welche mir in der Zeit der Beerdigung mit ihrer Übersetzungsarbeit half, besuchte mich jetzt regelmässig, um mit mir die Bibel zu lesen. Von ihr lernte ich sehr viel. Ich konnte die Fragen stellen, die mir damals auf dem Herz brannten, und sie bemühte sich sehr, sie zu beantworten. Das half mir sehr, besonders weil sie meine Kultur und mein Denken verstand. Hin und wieder betonte sie die Wichtigkeit, mich einer Kirche anzuschliessen. Sie sprach auch von ihrer Gemeinde und lud mich zu ihren Anlässen ein.

„Asya, es ist wichtig, dass du dich einer christlichen Gemeinde anschliesst. Da erlebst du gute Gemeinschaft und hörst Predigten von Pastoren. Das wird dir sehr guttun und es ist auch nötig, damit du in deinem jungen Glauben wachsen kannst."

Anfänglich weigerte ich mich. Viel lieber blieb ich zu Hause, wo ich in einem geschützten Rahmen mit meiner neuen Freundin oder auch mit Erich sprechen konnte. Nach einer Weile liess ich mich dann aber doch überzeugen und willigte ein, mit meiner Freundin einen Gottesdienst in ihrer Gemeinde zu besuchen. Und so kam es, dass ich das Gebäude einer Freikirche in Steffisburg betrat. Was ich dort erlebte, unterschied sich von allem, was ich mir bisher unter Kirche vorgestellt hatte. Die Leute hier waren fröhlich, lachten und sangen begeistert mit. Da ich bisher nur die armenische Kirche kannte, war mir die Freiheit, die ich hier erlebte, fremd.

„Ist das wirklich eine Kirche?" fragte ich mich. Der Raum war hell erleuchtet. Und die Menschen bewegten sich frei. Eine strenge Ordnung gab es nicht, dafür aber umso mehr Leben. Auch wenn vieles für mich befremdend war: es gefiel mir. Obwohl ich die Lieder nicht kannte, versuchte ich gleich mitzusingen. Die Freude riss mich richtig mit.

Menschen kamen auf mich zu, um mich zu begrüssen.

„Willkommen! Wer bist du?" fragten sie. Und: „Woher kommst du?" „Gefällt es dir in der Schweiz?" und vieles mehr. Eine derartige Anteilnahme wäre in der armenischen Kirche unvorstellbar. Dort gehen alle ruhig hinein, setzen sich auf eine Bank und verlassen das Gebäude nach Ende des Gottesdienstes.

Doch hier war es anders. Offensichtlich gab es hier nicht einmal Kleidervorschriften. Die Menschen schienen aufrichtig interessiert an mir und bemühten sich, dass ich mich wohlfühlte. Einige scheuten sich auch nicht, mich zu umarmen.

Die Atmosphäre berührte mich sehr.

„Auf jeden Fall werde ich wieder kommen!" sagte ich zu meiner Freundin.

Das tat ich dann auch und langsam gewöhnte ich mich an die Art und Weise, wie in dieser schweizerischen Freikirche die Gottesdienste gefeiert wurden.

Eines Tages kam meine armenische Freundin auf mich zu und kam auch gleich zur Sache.

„Asya", sagte sie. „Ich habe dich in einer Vision gesehen. Du warst mit Daniel zusammen."

„Ich verstehe nicht. Welcher Daniel? Und was meinst du mit ‚zusammen'? Und was überhaupt ist eine Vision?"

„Eine Vision ist, wenn Gott jemandem die Augen öffnet für eine Sache, die sonst nicht sichtbar ist. Und diese Vision war so real. Darin gingst du am Arm von Daniel. Ich wusste sofort, dass ihr ein Paar seid."

„Von so etwas weiss ich wirklich nichts", versuchte ich sie etwas zu bremsen. Die Vorstellung, mich auf einen Mann einzulassen, war mir sehr fremd. Und ich hatte auch nicht die geringste Vorstellung, wer dieser Daniel war.

„Doch, ich habe das gesehen. Ich bin sicher, diese Vision war von Gott." Sie blieb sehr hartnäckig und beharrte darauf, dass ich ihr genau zuhörte. Meine Offenheit hielt sich aber sehr in Grenzen.

„Schämst du dich denn nicht, solche Dinge zu sagen", protestierte ich. „Es sind erst einige Monate, seit mein Sohn gestorben ist, und ich bin noch immer in der Trauerzeit. Du bist doch eine Armenierin und solltest wissen, dass sich so etwas nicht gehört." Ich kam richtig in Fahrt. „Vergiss es bitte, das mit deiner Vision."

Damit war die Sache für mich erledigt. Meine Freundin musste wohl einsehen, dass ich ihr kein Gehör schenken würde und verstummte. Doch sie und auch meine russischsprachige Freundin, die von der Wahrheit dieser Vision überzeugt war, vergassen die Sache nicht. Sie waren nach wie vor fest der Meinung, dass Gott durch diese Vision zu ihnen gesprochen hatte. Deshalb beteten sie weiter für mich und diesen Mann namens Daniel.

Meine russischsprachige Freundin hatte im Gebet auch die tiefe Gewissheit erhalten, dass ich in der Schweiz bleiben würde. Das passte für sie natürlich sehr gut zu der Vision der anderen Freundin.

Regelmässig besuchte ich in jener Zeit Edwards Grab in Thun. Der schöne Fussweg vom Bahnhof zum Friedhof führte durch ein Quartier, welches mich sehr an Russland erinnerte. Ich erinnere mich, wie ich beim Hindurchgehen oft dasselbe Gebet sprach.

„Lieber Jesus! Ich weiss, dass ich die Schweiz wahrscheinlich bald verlassen muss. Wenn ich aber hierbleiben darf, möchte ich hier in diesem Quartier leben. Ich bitte dich, mir dies zu ermöglichen. Amen."

Die Zeit verging und inzwischen besuchte ich fast jeden Sonntag den Gottesdienst in der Gemeinde. Die Familie von Vahrams Schulkameraden fuhr ebenfalls wöchentlich von Spiez nach Steffisburg in den Gottesdienst. Ich war sehr froh, mit ihnen fahren zu können. Einmal überraschte mich die Mutter mit der Schilderung eines Traumes.

„Asya", begann sie. „Ich habe geträumt, dass du in der Schweiz bleiben wirst."

Was war das denn wieder? Alle um mich herum hatten Visionen und Träume bezüglich meiner Zukunft. Wie sollte ich damit nur umgehen?

Diese Gemeinde wurde tatsächlich zu meinem Zuhause. Ich genoss es, immer mehr Menschen kennenzulernen und mit ihnen über unseren gemeinsamen Glauben an Jesus zu sprechen. Die Gottesdienste taten mir gut und die Predigten waren lehrreich.

Zu einigen Mitgliedern der Gemeinde entwickelten sich echte Freundschaften. Wir besuchten uns gegenseitig, beteten zusammen und genossen einfach das Zusammensein. Den erwähnten Daniel traf ich in all diesen Monaten nie persönlich. Doch die Freundin, welche die Vision von uns gehabt hatte, betete weiterhin für uns.

Es war am Muttertag 2005, als mich meine russischsprachige Freundin zu einem Essen mit ihrer Familie einlud. Sehr gerne sagte ich zu. Ohne zu ahnen, was sie genau vorhatte. Eine weitere befreundete Familie aus der Ukraine sollte ebenfalls dabei sein. Meine armenische Freundin auch. Sie gaben sich wirklich grosse Mühe, uns zu verwöhnen. Sogar Blumen hatten sie uns Müttern geschenkt. Als alleinerziehende Mutter bedeutete es mir sehr viel, auf diese Weise Wertschätzung zu erhalten. Im Laufe des Nachmittags stiessen noch ein paar andere Leute dazu und wir genossen eine sehr schöne Gemeinschaft.

Meine Freundin lauerte auf einen geeigneten Moment, um mich etwas beiseitezunehmen. „Asya", begann sie mit einem geheimnisvollen Lächeln. „Daniel ist gekommen." Natürlich wusste ich sofort, worauf dies hinauslaufen sollte.

„Ich habe dir doch schon gesagt, dass ich an einer Wiederheirat nicht interessiert bin. Und überhaupt bin ich noch immer in meiner Trauerzeit." Für Armenier ist es üblich, nach dem Todesfall eines nahen Angehörigen ein Jahr Trauerzeit zu halten.

Meine gute Stimmung war dahin. Den Rest des Nachmittags verdrückte ich mich so oft ich konnte in die Küche. Ich wollte diesen Daniel nicht kennenlernen, ihm nicht einmal begegnen.

So vergingen die Stunden und ich war froh, als endlich die Zeit zum Aufbrechen gekommen war.

„Zurzeit fährt gerade kein Bus zum Bahnhof", sagte meine Freundin. „Aber Daniel hat genug Platz im Auto, um alle mitzunehmen, die dorthin müssen."

Innerlich seufzte ich. Es würde mir also nicht möglich sein, diesem Typen zu entkommen. Ich war aber froh, dass noch ein paar andere Leute mit uns mitfuhren, so dass ich mich weiterhin vor einer Unterhaltung mit Daniel drücken konnte. Vom Rücksitz des Autos aus lauschte ich dem Gespräch der anderen, ohne mich zu beteiligen. In meinem Herzen hatte ich mir fest vorgenommen: „Mit diesen Heiratsplänen will ich nichts zu tun haben."

Einige Wochen später kontaktierte mich jemand vom Roten Kreuz und bot mir an, uns bei unserer Rückkehr nach Armenien behilflich zu sein. Längst hatte ich mich mit dem Gedanken abgefunden, die Schweiz zu verlassen und in meine Heimat zurückzukehren. Ich fürchtete mich auch nicht mehr vor den Problemen, die auf mich warten konnten. Jetzt hatte ich Jesus in meinem Leben und war felsenfest überzeugt, dass er mich überall durchtragen würde. Gerne nahm ich das Angebot des Roten Kreuzes an und verabredete mich zu einem Gespräch. Es wurde mir aufgelistet, welche Vorbereitungen ich treffen musste. Das war für mich sehr gut, weil es mir half, nichts zu vergessen.

Ein wichtiger Punkt war der Transport der Urne vom Thuner Friedhof nach Eriwan. Das erforderte etliche Formalitäten und brachte auch einige Schwierigkeiten mit sich. Für die Kremierung und Bestattung hatte ich 2'800 Franken bezahlt – für mich sehr viel Geld. Der Angestellte vom Friedhof hatte das Geld bar angenommen, es jedoch unterlassen, mir eine Quittung zu geben. Und ich hatte dieses Versäumnis nicht bemerkt.

Nun würde ich die Urne früher als erwartet wieder mitnehmen. Deswegen rechnete ich damit, einen Teil des Betrages wieder zurückzuerhalten. Doch der Angestellte wollte nicht darauf eingehen.

„Leider ist nicht ersichtlich, dass Sie überhaupt jemals Geld bezahlt haben. Es ist mir also unmöglich, Ihnen einen Betrag zu erstatten."

„Aber ich habe bezahlt. Da lässt sich doch sicher ein Zeuge finden. Es waren damals nämlich ganz viele Leute anwesend."

„Tut mir leid Frau Hovsepyan, aber ich kann nichts für Sie tun." Ich glaubte meinen Ohren nicht zu trauen. Musste ich jetzt wegen einem Fehler in der Buchhaltung des Friedhofs auf eine Menge Geld verzichten? Das konnte einfach nicht sein. Natürlich wollte ich mich nicht so schnell geschlagen geben.

„Wenn ich jetzt die Urne nehme, dann können Sie ja den Platz auf Ihrem Friedhof noch einmal vergeben und ein zweites Mal Geld einkassieren. Es kann doch nicht sein, dass Sie sich auf meine Kosten bereichern!"

„Tut mir leid, aber leider gibt es keinen Hinweis, dass Sie überhaupt jemals Geld bezahlt haben."

Es blieb mir nichts anderes übrig, als enttäuscht nach Hause zurückzukehren. Als ich Freunden von meinem Misserfolg berichtete, hatte jemand die Idee, dass die beiden Personen, die mich damals begleiteten, einen Brief aufsetzen und meine Bezahlung bezeugen würden. Das klang gut und schien mir einen Versuch wert zu sein.

Ich war sehr froh, als mir meine russischsprachige Freundin ihre Hilfe anbot und wir verabredeten uns bei ihr, um das Schreiben aufzusetzen.

„Ich habe Daniel gebeten, uns bei dieser Arbeit zu unterstützen", sagte sie. Ich war wie vor den Kopf gestossen und begann lauthals zu protestieren – konnte ihrem Ansinnen aber nicht ausweichen, weil wir gerade im Auto unterwegs zu ihr waren.

„Wann glaubst du mir endlich, dass ich niemanden kennenlernen will."

„Du musst ihn ja nicht heiraten, wenn du nicht willst. Aber Daniel hat Erfahrung mit derartigen Briefen und kann dir eine grosse Hilfe sein. Du solltest das dankbar annehmen!"

Das leuchtete mir ein. Schliesslich wollte ich ja auch nicht undankbar erscheinen.

Als Daniel kam, brachte er einen grossen Butterzopf mit. Langsam entspannte ich mich und genoss es, als die Schreibarbeiten abgeschlossen waren und wir noch gemütlich beisammen sassen. Bei diesem Treffen konnte ich mein Desinteresse Daniel gegenüber ablegen. Nach wie vor hatte ich aber nicht das geringste Interesse daran, noch einmal irgendeinen Mann zu heiraten.

An diesem Tag sträubte ich mich auch nicht, von Daniel nach Hause gefahren zu werden. Es störte mich nicht einmal, dass ich alleine mit ihm im Auto sitzen musste.

Zum ersten Mal kam ich auf die Idee, dass an der Vision meiner Freundin etwas Wahres sein könnte. Doch dieser Gedanke beängstigte mich, aber ich wurde ihn nicht mehr los.

Unterwegs erzählte Daniel mir, wo er wohnte.

„Ich wohne unmittelbar neben dem Stadtfriedhof."

„Interessant" dachte ich bei mir. „Das ist ja der Ort, an welchem ich gerne wohnen würde und wofür ich auch oft gebetet habe."

Später erfuhr ich von Daniel, dass er nach dem ersten Treffen intensiv betete und Gott fragte, ob ich seine Frau werden soll. Als Antwort vernahm Daniel von Gott ein klares Ja. Er entschied sich aber, dies für sich zu behalten – zumindest vorerst. In jener Zeit begannen wir eine freundschaftliche Beziehung zu pflegen, um uns etwas besser kennen zu lernen.

Genau damals distanzierte sich Erich plötzlich von mir. Wenn ich an seiner Türe klingelte, öffnete er mir nicht mehr, und wenn wir uns vor dem Haus oder im Treppenhaus begegneten, hatte er höchstens noch einen kurzen Gruss, wie ein „Hallo" oder „Guten Morgen" für mich übrig. Das irritierte mich sehr. Schliesslich bat ich Vahram, Erich nach dem Grund seines seltsamen Verhaltens zu fragen. Vahram hatte bislang noch immer Zugang zu Erich.

„Weshalb sprichst du nicht mehr mit meiner Mutter?"

„Ich habe ihr nichts mehr zu sagen."

„Aber sie will zu dir kommen und mit dir sprechen", hakte Vahram nach.

„Nein, mein Auftrag an deiner Mutter ist für mich erledigt. Ich habe ihr alles gegeben, was Gott von mir wollte. Es gibt wirklich nichts mehr, was ich mit ihr bereden sollte. Gott hat mich in dieses Haus für Seinen Auftrag an ihr geschickt. Dieser Auftrag ist nun abgeschlossen."

Verständnislos überbrachte mir Vahram Erichs Worte.

Ich war wie vor den Kopf gestossen. Erich wusste ja überhaupt nicht, was ich von ihm wollte und er wies mich einfach ab. Das konnte ich nicht verstehen. Es war auch sehr schmerzhaft, ja für mich schien es sogar so, als würde ich mit meinen vielen Fragen plötzlich alleine dastehen.

„Wie heisst denn eigentlich dein Nachbar?" fragte Daniel, als ich von meiner Verwirrung erzählte.

Ich nannte den Namen, ohne zu ahnen, worauf Daniel hinauswollte.

„Ich kenne ihn."

„Wirklich? Das kann doch nicht wahr sein."

„Doch, ich kenne Erich. Einmal traf ich ihn sogar. Mit vielem, was er sagte, kann ich jedoch nicht einverstanden sein."

Innerlich ging ich auf Abwehrhaltung. Wie konnte Daniel so gegen Erich reden. Mir hatte der alte Mann mit seinem Reden sehr geholfen. Wie kann Daniel nicht einverstanden sein?

Doch ich sagte nichts. Stattdessen beklagte ich mich weiterhin über Erichs Verhalten, das ich als äusserst ungerecht empfand.

Wie sollte ich diese Sache nur verstehen? In meinem Herzen schrie ich zu Gott. Während Daniel zu erklären versuchte, was er mit seiner Aussage meinte, vernahm ich plötzlich Gottes klares Reden in meinem Herzen: „Lass Erich los! Für eine Zeit habe ich ihn gebraucht, um dir den Weg zu zeigen, aber jetzt brauchst du ihn nicht mehr! Geh vorwärts!"

Sofort kehrte Ruhe in meinem Herzen ein.

Ich staunte, dass gerade dann, als Erich sich vor mir zurück- zog, Daniel in meinem Leben auftauchte. Gott schickte mir wie- der jemanden, um mir in meinem jungen Glaubensleben zur Seite zu stehen und nicht nur das. Er schickte mir sogar Freude über meine Zukunft, welche in diesem Moment zwar noch nicht sichtbar war.

16. Heirat

Langsam entwickelte sich eine Vertrautheit mit Daniel. Als er wieder einmal bei uns vorbeischaute, liess er sich von Vahram zu einem Videospiel einladen. Als ich die beiden beobachtete, fühlte ich eine sehr schöne Harmonie. Es war, als wären die beiden alte Freunde. Sie witzelten und lachten, während sie in ihren Wettkampf auf dem Bildschirm vertieft waren. Vahram mochte Daniel offensichtlich sehr und umgekehrt war es genauso. Eigentlich war ich in der Küche damit beschäftigt, eine Mahlzeit für uns alle zuzubereiten. Als ich aber einen Blick ins Wohnzimmer warf, konnte ich nicht anders und musste den beiden eine Weile zuschauen und liess dabei das Essen anbrennen (was mir echt nur ganz selten geschieht). Etwas in mir wurde dabei tief berührt. So musste sich ein funktionierendes Familienleben anfühlen.

Dann, etwas später, sprach mich Daniel auf das unausweichliche Thema an.

„Asya, nachdem ich dir bei deinem Brief geholfen habe und du mir deine Situation geschildert hast, glaube ich nicht, dass du in der Schweiz bleiben darfst."

Es folgte eine kurze Pause.

„Wärst du bereit, mich regelmässig zu treffen? So könnten wir herausfinden, ob Gott etwas für uns bereit hat."

Was sollte ich darauf nur erwidern?

„Was genau stellst du dir denn unter regelmässig vor?" fragte ich und hoffte mit einer Gegenfrage etwas Zeit zu gewinnen.

„Täglich" kam die kurze und für mich schon etwas erschreckende Antwort. Diesem Mann schien es tatsächlich ernst zu sein. Ohne innere Überzeugung willigte ich ein.

Inzwischen war es Juni 2005 und die Vorbereitungen für meine Ausreise waren in vollem Gange. Dabei hatte ich wieder einmal einen Termin mit meiner Anwältin in Bern. Als ich bei ihr im Büro sass, überraschte ich sie mit der Aussage, dass ich bereit sei, nach Armenien zurückzukehren und an einem Aufschub nicht mehr interessiert sei. Ich weiss nicht, ob dies ungewöhnlich ist und die meisten Asylanten alles unternehmen, um in der Schweiz zu bleiben. Auf jeden Fall war sie sichtlich überrascht.

Die Tatsache, dass ich mit einer baldigen Rückkehr auch Distanz zu Daniel gewinnen würde, war mir sehr angenehm. Nicht, dass mir das Zusammensein mit ihm zuwider gewesen wäre, aber die Vorstellung, mich wieder ernsthaft auf einen Mann einzulassen, überforderte mich sehr.

In dieser Zeit war ich dabei zu lernen, was meine neu gefundene Beziehung mit Jesus für meinen Alltag bedeutete. Es begeisterte mich immer wieder aufs Neue, wie ich sein Reden auf unterschiedlichste Weise vernehmen konnte. Durch Jesus hatte sich mein Leben grundlegend verändert. Da ich aber noch sehr unerfahren war, fiel es mir manchmal schwer zu verstehen, wie ich mit Gottes Führung rechnen konnte. Und zum Thema Daniel schien der Himmel zu schweigen. Doch was bedeutete dies? Da meine Freundin glaubte, Gottes Reden zu dieser Sache vernommen zu haben, war ich nicht sicher, ob dies nun für mich einer Anweisung gleichkam. Hatte ich denn überhaupt noch das Recht, für mich selbst zu entscheiden? Auf jeden Fall schien es mir das einfachste zu sein, wenn diese Beziehung aufgrund äusserer Umstände unmöglich gemacht würde. Und eine Ausweisung nach Armenien wäre hierzu die perfekte Lösung.

Inzwischen hatte ich auch schon einen konkreten Plan. Zuerst würde ich nach Armenien zurückkehren und dort meine Schwester besuchen. Dann aber hatte ich mit meinem Bruder bereits vereinbart, dass ich zu ihm nach Russland ziehen würde. Dort würden Vahram und ich sicher sein.

Als mein Gespräch mit der Anwältin beendet war und ich heim wollte, stellte ich fest, dass aus irgendeinem Grund die Verkehrsmittel ausfielen. Auch nach Spiez gab es keine Fahrgelegenheit. Was sollte ich tun? Ich musste doch so schnell wie möglich nach Hause, weil Vahram alleine auf mich wartete. Schliesslich rief ich Daniel an.

„Ich stecke hier in Bern fest und komme nicht mehr weg. Hier ist ein riesiges Verkehrschaos und die Züge fahren nicht mehr nach Spiez."

„Was möchtest du? Soll ich dich abholen?" fragte er.

Mein Inneres verkrampfte sich. Unbewusst hatte Daniel eine Formulierung gewählt, die in Armenien als unhöflich gilt. Und ich kam in diesem Moment auch nicht auf die Idee, dass dies nur ein kultureller Unterschied und keine Sache mangelnden Respekts war. In Armenien würden wir sagen: „Ich komme dich abholen." Eine solche Frage mit „soll ich" einzuleiten ist eine klare Aussage, dass dem Fragenden das Helfen eine Last ist und er dies nur aufgrund von äusserem Druck tut.

Was sollte ich nur antworten? War ich Daniel etwa eine Last geworden? Sofort machte sich der Stolz in mir bemerkbar. „Ich bin auf diesen Mann nicht angewiesen!" schoss es mir durch den Kopf. Im Blick auf meine missliche Situation blieb mir aber nichts anderes übrig, als seine Hilfe anzunehmen. „Ja, bitte hol mich hier ab."

So kam es, dass mich Daniel wie ein Retter in der Not im Bahnhof Bern abholte. Ich war sehr erleichtert und es begannen sich Gefühle in mir zu regen – Gefühle, die mich überforderten. Nein, ich war definitiv nicht bereit für eine ernsthafte Beziehung mit einem Mann. Ich brauchte Freiraum, um meine Gedanken und Gefühle zu ordnen. Als ein Gentleman akzeptierte er dies und gab mir sofort den benötigten Raum. Dies rechnete ich Daniel hoch an.

Weiterhin war ich aber sehr froh, jederzeit Daniels Hilfe in Anspruch nehmen zu dürfen. So bat ich ihn, mich zu einem Anwaltstermin zu begleiten. Dieser Anwalt war sehr darauf versessen, mich unbedingt in der Schweiz behalten zu können, und schlug vor, Vahram in eine psychiatrische Klinik einzuweisen.

„Vahram geht es offensichtlich schlecht. Seine Traumata der vergangenen Jahre haben ihm derart zugesetzt, dass er auf gar keinen Fall ohne gründliche Behandlung nach Armenien zurückkehren darf."

„Aber wie soll denn eine Behandlung gehen, wenn wir ohnehin nach Armenien zurückkehren werden?" fragte ich, von der Idee dieses Anwalts total überrumpelt.

„Natürlich würde Ihre Rückkehr auf diese Weise verschoben, was Ihnen Zeit verschafft, eine Verlängerung Ihres Asyls zu beantragen."

Ich wurde sehr misstrauisch wegen seines Vorschlags. Meinte dieser Mann es wirklich gut mit uns oder war er vielleicht doch darauf aus, uns als Mandanten behalten zu können. Daniel begann mit ihm zu diskutieren und es ging da eine Weile hin und her mit Argumenten, bis plötzlich Daniel sagte: „Ich werde diese Frau heiraten."

Während mein Herz stockte – ich war innerlich alles andere als bereit hierzu – begann der Anwalt aufzuzeigen, dass dies nicht möglich sei. Daniel aber beharrte mit allem Nachdruck darauf, dass er mich zu heiraten gedenke und dass Heiraten nichts Illegales sei. Ich sah mich nur noch in der Rolle der Zuhörerin. Aber es war schon ganz schön heftig.

In der Folge ging alles sehr schnell. Mein Bruder war gleichzeitig bei uns zu Besuch und war hell begeistert von Daniel – besonders auch von der Möglichkeit, dass ich ihn heiraten könnte. „Heirate ihn, Asya!" sagte er. „Daniel ist ein guter Mann und eine Heirat mit ihm eine hervorragende Möglichkeit für dich."

Das leuchtete mir zwar alles ein und ich war auch sehr überrascht, dass mein Bruder für eine Ehe mit Daniel war, aber innerlich war ich noch nicht so weit. Auch Vahram sträubte sich dagegen, dass seine Mutter wieder heiraten würde.

„Mutter", sagte er. „Das kannst du nicht tun. Du hast gerade erst einen Sohn verloren und denkst schon ans Heiraten. Das ist nicht normal." Und da stimmte ich ihm vollumfänglich zu. Unmöglich würde ich vor dem ersten Todestag von Edward eine Ehe eingehen. Einmal sagte ich auch zu Daniel: „Selbst, wenn Gott vom Himmel herunterkommt und mir die Ehe befiehlt, werde ich nicht vor dem 28. August heiraten. Erst muss mein Trauerjahr vorüber gehen." Mit dieser Aussage signalisierte ich mir selbst, dass ich eine Hochzeit in diesem Zeitraum nicht für möglich hielt. Und dies wollte ich auch Gott wissen lassen.

Doch langsam begann ich mich für den Gedanken einer Ehe mit Daniel zu öffnen. Sehr vieles schien zu passen und vielleicht, so sagte ich mir, war dies doch der Wille Gottes.

Als ich einmal mit Daniel über all diese Dinge sprach, stellte ich ihm die Frage, welche für mich von grosser Wichtigkeit war: „Was wirst du machen, wenn ich die Schweiz verlassen muss, bevor wir die Chance haben zu heiraten?"

Daniel blickte mir tief in die Augen.

„Das ist kein Problem. Dann werde ich zu dir nach Armenien kommen und wir könnten dort heiraten."

Diesem Mann schien es also tatsächlich ernst zu sein.

Bereits in diesen Tagen willigte ich ein, mich mit Daniel zu verloben. Wir mussten die Gelegenheit ergreifen, weil mein Bruder gerade noch in der Schweiz war. Daniel war es äusserst wichtig, dass er meinen Bruder ganz traditionell um meine Hand anhalten kann – was ich vorher aber nicht wusste. Für meinen Bruder wäre es nicht einfach gewesen, in Kürze wieder zu kommen. Der Aufwand, ein Touristenvisum zu erhalten und die ganze Reise zu organisieren, war sehr gross.

So feierten wir eine Verlobung im kleinen Kreis. Vahram, mein Bruder und auch meine russische Freundin mit ihrem Mann waren dabei. Diese Feierlichkeit genoss ich sehr, hoffte aber noch immer, dass ich vor einer Hochzeit ausgewiesen würde. Auf diese Weise würde Daniel seine Liebe zu mir wirklich beweisen müssen. Wir fanden einen sehr guten Anwalt, welcher sich auf vorbildliche Weise für uns einsetzte. Das war ein grosses Geschenk. Er beriet uns, wie wir die Ausweisung etwas hinauszögern könnten und bemühte sich sehr, eine Heirat in der Schweiz möglich zu machen. Viele hielten es für unmöglich, doch das Unvorstellbare geschah:

Nachdem wir all unsere Unterlagen eingereicht hatten, erhielten wir tatsächlich einen Termin auf dem Zivilstandsamt. Als wir den Namen der Zivilstandbeamtin lasen, erschraken wir. Jemand hatte uns nämlich gesagt, diese Frau hasse Ausländer.

„Diese Frau ist bekannt wegen ihrer sehr ausgeprägten rechtspolitischen Haltung und ihrer Abneigung gegen Ausländer."

Uns schwand der Mut. Unbedingt waren wir auf die Gunst im Zivilstandsamt angewiesen. Denn noch immer schien eine erfolgreiche Hochzeit nur durch ein Wunder möglich. Die Zeit war einfach zu knapp. Doch das Verfahren für die Heirat lief. Die Wartezeit bis zu einem Termin ist viel länger als die Zeit, die uns zur Verfügung stand. Und die Tatsache, dass ich eine Ausländerin mit auslaufender Aufenthaltsbewilligung war, machte die Sache noch komplizierter.

Zur gleichen Zeit mussten wir jeden Augenblick damit rechnen, dass Vahram und ich von der Polizei abgeholt und in Ausschaffungshaft gebracht würden. Auf Anraten einiger Personen aus unserem Umfeld versteckten wir uns bei einer Freundin. Die Möbel brachten wir zu Daniel, ohne Gewissheit, ob ich jemals in dieser Wohnung bleiben würde. Die Polizei würde, sollte sie uns abholen wollen, nur eine leere Wohnung vorfinden.

Doch schon nach einem Monat meldete sich das schlechte Gewissen. Würde ich auf diese Weise denn nicht unehrlich und sogar gesetzwidrig leben? Wenn Gott tatsächlich wollte, dass ich Daniel heiratete, wäre es dann nicht besser, mich unter seinen Schutz zu stellen, anstatt mich zu verstecken? Diese Fragen nagten zusehends an mir und so zogen wir schliesslich in unsere fast leere Wohnung zurück. Noch immer rechnete ich mit der Möglichkeit, zurück nach Armenien zu müssen – ein Gedanke, der für mich gar nicht so unangenehm war. Rückblickend staune ich, wie Gott mir damals aber eine tiefe Gewissheit ins Herz legte, in der Schweiz bleiben zu können. Ich kaufte mir in dieser Zeit sogar neue Möbel und Einrichtungsgegenstände, die ich alle bei Daniel unterbrachte.

Gleichzeitig wurden die Vorbereitungen für die Ausreise aktiv vorangetrieben. Der Ausreisetermin für mich und Vahram stand inzwischen fest: Der 7. September 2005.

In Bezug auf die üble Geschichte mit dem Friedhof gab es eine gute Entwicklung. Der Fehler wurde eingesehen und die verantwortliche Person sagte mir die Rückgabe der entsprechenden Geldsumme zu. Alles deutete also trotz des laufenden Procederes mit dem Zivilstandsamt auf eine Rückreise nach Armenien hin.

Als unser Anwalt anrief und mitteilte, dass uns eine Heirat verweigert wurde, war für mich die Sache klar. Für Daniel nicht. Er erhob mit einem Brief Einsprache bei der Migrationsstelle. Die Tage verstrichen. Es war bereits August und unsere Ausreise war zum Greifen nahegekommen.

In all dieser Hektik wurden wir auch noch darauf hingewiesen, dass ich keinen Pass hatte. Den hatten damals die Führer der Schlepperorganisation mitgenommen. Was sollten wir nur tun? Es war mir unmöglich, nach Armenien zu gehen, um dort einen Pass machen zu lassen. Erstens fehlte mir gerade derselbe Pass, um reisen zu können und zweitens lief ja in der Schweiz unser Verfahren, dem ich nicht fernbleiben durfte.

Schliesslich gelang es meiner Schwester, an meiner Stelle in Eriwan einen neuen Pass für mich zu beantragen, und ich erhielt ihn dann auch innert weniger Tage. Damals war dies alles noch ganz legal. Auf keinen Fall hätte sie den Pass dann aber von Armenien auf dem Postweg in die Schweiz schicken dürfen. Doch was blieb uns anderes übrig? Sie schickte ihn und er traf ohne Verzögerung bei mir ein. Zusätzlich hätte eigentlich die Post ein solches Dokument nicht einfach so transportieren dürfen. Als ich dieses Dokument in der Hand hielt, glaubte ich meinen Augen nicht zu trauen. Wie konnte es nur möglich sein, innerhalb so kurzer Zeit einen gültigen armenischen Pass zu erhalten und all dieses Unmögliche zu erleben?

„Was hast du nur mit mir vor Jesus?" betete ich immer wieder. Ich erhielt aber keine Antwort. Oder vielleicht war ich auch nur viel zu angespannt, um überhaupt Gottes Reden vernehmen zu können – ich weiss es nicht.

Inzwischen erklärte auch unser Anwalt, der wirklich hervorragende Arbeit geleistet hatte, dass er jetzt nichts mehr tun könne. Er hatte wirklich alles versucht, was in seiner Macht stand, und jetzt konnten wir nichts anderes mehr tun als einfach zu beten und auf Gottes Eingreifen zu warten.

Es wurde der 28. August. Das war der Todestag Edwards und wir trafen uns alle zusammen beim Grab und anschliessendem Gedenkessen. Daniel hatte verstanden, dass ich bis zu diesem Datum einer Heirat nicht zustimmen würde. Einen Tag später begann Daniel, die verschiedenen Ämter telefonisch zu kontaktieren. Er wollte über den aktuellen Stand des Prozesses ins Bild gesetzt werden. An keiner der Stellen hatte man uns bisher Mut gemacht. Überall hiess es, dass eine Heirat in dieser Zeit nicht möglich wäre oder dass eine Ausreise nicht mehr aufgeschoben werden könne. Aber Daniel gab nicht auf und rief noch einmal überall an, um sich über den Fortschritt zu erkundigen. Die Aussagen waren widersprüchlich. Jemand aus der Migrationsstelle sagte, wir sollten unser Vorhaben vergessen, es sei einfach zu spät. Der genaue Wortlaut war: „Frau Hovsepyan ist offiziell nicht mehr in der Schweiz. Herr Kyburz, wenn Sie heiraten wollen, müssen Sie dies in Armenien tun und dann die verlangte Frist bis zur Rückreise Ihrer Frau abwarten". Und wie sollte jemand offiziell heiraten können, der nicht mehr als anwesend registriert war?

Dann erklärte eine andere Person aus demselben Amt, dass der Pass soeben zum Zivilstandsamt geschickt worden sei – dies, obwohl eine andere Stelle in der Migration auf diesen Pass angewiesen war, um die Rückreisedokumente fertig zu stellen. Das Verfahren könne dort weitergeführt werden und wir sollten am folgenden Tag dort anrufen. Am 30. August rief Daniel auf dem Zivilstandsamt an. Es wurde ihm gesagt, dass der Pass bei ihnen eingetroffen sei und wir am nächsten Tag, dem 31. August, bei ihnen vorbeikommen sollten.

In Thun herrschte Chaos. Es hatte sehr viel geregnet und das Wasser trat über die Ufer von See und Flüssen. Einige Strassen waren bereits nicht mehr befahrbar, doch wir wollten uns auf gar keinen Fall aufhalten lassen in das Standesamt zu gelangen, das direkt neben dem Hafen in Thun war.

Wir wurden von derselben Frau in Empfang genommen, die eine Abneigung gegen Ausländer gehabt haben soll – wie man uns sagte. Doch davon spürte ich überhaupt nichts. Sie war sehr freundlich und lud uns in ihr Büro ein. Daniel und ich hatten nicht die geringste Ahnung, was auf uns wartete. Würde sie uns doch noch die Bewilligung für eine Heirat in den nächsten Tagen geben? Oder mussten Vahram und ich nach Armenien ausreisen? Wir waren sehr angespannt.

Nachdem die Beamtin einige Papiere überprüft hatte, wandte sie sich uns zu.

„Frau Hovsepyan, Herr Kyburz, Sie dürfen heiraten. Ab dem dritten September sind wir bereit, damit sie die Heirat schliessen können. Sie haben Zeit bis am 3. Dezember."

Es war, als würden wir träumen. Allen Prognosen zum Trotz sollte die Heirat doch noch vor unserer Heimkehr möglich sein. Damit stand es für mich definitiv ausser Frage, dass Gott selbst dies alles so arrangiert hatte und somit auch hinter einer Ehe mit Daniel stand.

Das Gesicht Daniels wechselte ständig die Farbe. Das war wirklich sehr eindrücklich. Zuerst wurde er ganz fahl, dann plötzlich rot und dann wich die Farbe erneut aus seinem Gesicht.

„Das geht nicht!" brach es schliesslich aus ihm heraus. „Asya kann nicht heiraten. Sie muss am 7. September die Schweiz verlassen und nach Armenien zurückkehren."

„Machen Sie sich keine Sorgen, Herr Kyburz", versuchte die Frau ihn zu beruhigen.

„Aber die Polizei kann jeden Tag auftauchen und Asya in Ausschaffungshaft stecken. Wie sollen wir so eine Heirat durchziehen können?"

Die Frau blickte auf, hielt einen Augenblick inne und sagte dann:

„Nein, das sollte nicht passieren. Die Polizei wird sie nicht abholen. Ich werde Ihnen einen Brief aufsetzen und darin Ihre Absicht bestätigen, dass Sie noch vor dem 7. September heiraten werden."

Freundlich lächelte sie uns an. „Und an welchem Datum wollen Sie heiraten?"

Das ging ja plötzlich sehr schnell. Doch ich war erstaunlich ruhig. Ein Friede erfüllte mich. Es war der Friede, den ich kannte, seit ich Jesus in mein Leben eingeladen hatte.

Während wir im Standesamt waren, musste ich noch einige Telefonate bezüglich meines Familiennamens führen. Weil alles so schnell gegangen war, hatte ich bisher keine Zeit gefunden, über meinen zukünftigen Namen nachzudenken. Mein Bruder ermutigte mich, Daniels Name anzunehmen, weil mir dies in der Schweiz Vorteile einbringen würde. Die Frau sagte uns, dass ich in aller Ruhe diese Frage klären könne, obwohl sich die unangenehme Lage bezüglich des Hochwassers zuspitzte. Gerade da informierte uns eine andere Mitarbeiterin (mit hochgekrempelten Hosen), dass die Lage ungemütlicher werde und mit Notfallmassnahmen zu rechnen sei. Im Haus herrschte eine zunehmende Unruhe. Unsere Zivilstandsbeamtin war jedoch die ganze Zeit hindurch ganz ruhig.

Als wir all unsere Daten zusammengetragen hatten, ich mich entschieden hatte Daniels Nachnamen auf ihr Anraten anzunehmen (mit Hovsepyan als Doppelnamen) und die Frau alles in einem Brief zusammengefasst hatte, druckte sie ihn aus, unterzeichnete und übergab ihn uns. „Falls die Polizei bei Ihnen auftaucht, zeigen Sie einfach dieses Schreiben und der Rest wird sich schon ergeben."

Kaum hatte sie dies gesagt, ging das Licht aus und wenige Augenblicke später stürmte jemand in ihr Büro.

„Der untere Stock ist am Überfluten und jetzt ist auch der Strom ausgefallen. Wir schliessen den Betrieb sofort und schicken alle aus dem Büro." Den Brief in unseren Händen haltend, konnten wir kaum glauben, was da alles um uns herum geschah. Als wir vor dem Gebäude waren, suchten wir einen Weg durch das Chaos der Katastrophenhilfe hindurch nach Hause zu finden.

Wir blickten uns gegenseitig vor Staunen an. War dies wirklich alles gerade real passiert? Oder träumten wir? Das war total knapp. Wäre die Frau eine Minute später mit dem Tippen des Briefes fertig geworden, wäre der Strom weg gewesen und sie hätte ihn nicht mehr ausdrucken können. Alles, was mit dieser Heirat verbunden war, schien extrem knapp aufzugehen, genauso wie dieser Besuch im Zivilstandsamt. Mir schien, als würde alles, wie durch eine unsichtbare Hand geführt, im letzten Augenblick gelingen.

Nachdem wir unseren Termin sogar noch erfolgreich vom 7. auf den 5. September vorverschieben konnten – erstaunlich was alles möglich war –, stand unser Hochzeitstermin letztlich fest. Am 5. September, also fünf Tage später, würde ich verheiratet sein. In meiner Gefühlswelt herrschte grosses Chaos. Einerseits hatte ich Daniel wirklich sehr zu schätzen gelernt und mochte ihn sehr. Aber war dies wirklich Liebe?

Ich war nun zwar überzeugt, dass die Heirat mit Daniel tatsächlich Gottes Wille war. Doch dann kamen wieder anklagende Gedanken, die mir sagten, ich würde diesen Mann doch nur heiraten, um in der Schweiz zu bleiben. Das alles war sehr verwirrend. Auch die ganze Thematik der Wiederheirat setzte mir sehr zu. War es wirklich vor Gott in Ordnung, dass ich eine zweite

Ehe eingehen würde? Ich sprach mit verschiedenen Menschen, die mir sehr unterschiedliche Antworten gaben. Sie alle erklärten mir, dass ihre Sichtweise biblisch und richtig sei – am Ende hörte ich aber nichts Weiteres als nur unterschiedliche Meinungen. In all dem wuchs in mir die Überzeugung, dass eine Ehe mit Daniel tatsächlich Gottes Wille für mein Leben war. Doch liebte ich ihn wirklich?

„Jesus, ich bitte dich: gib mir eine Liebe für Daniel. Ich möchte entsprechende Emotionen für ihn haben." Unaufhörlich betete ich, dass Gott mir die richtigen Gefühle geben würde, damit ich Daniel mit Freude würde heiraten können. Und tatsächlich: Die Gefühle wuchsen heran, bis ich plötzlich die Schmetterlinge in meinem Bauch feststellte. Und als ich am 5. September, dem Tag unserer Hochzeit, aufstand, merkte ich, wie ich Daniel von Herzen und auf eine ganz feinfühlende Weise liebte.

Unsere standesamtliche Hochzeit fand dann tatsächlich im Gebäude der Stadtpolizei in Thun statt, da das Standesamt wegen der Überschwemmung immer noch geschlossen blieb. Wir hatten in diesem staatlichen Gebäude überraschend eine Begegnung mit dem Friedhofmitarbeiter, der mir Schwierigkeiten gemacht hatte und beim Apéro im Innenhof durften wir die Gratulation zweier Polizeibeamter entgegennehmen – natürlich mit einem Glas Sekt in der Hand! Das hätte ich mir in den kühnsten Träumen nicht vorgestellt!

Unserer Freunde organisierten eine kleine Hochzeitsfeier und sogar Daniels Eltern konnten überraschend dabei sein.

Und so kam es, dass ich mich voller Freude in diesen Tag stürzte, mit aller Überzeugung die Heiratsdokumente unterschrieb und dann auch die Feier in vollen Zügen genoss. Am Ende erlebte ich, was ich niemals glaubte, jemals in meinem Leben erfahren zu dürfen: Ich genoss meine Hochzeit!

17. Integration

Am 6. September nahm ich, wie vereinbart, den Termin auf dem Sozialamt wahr. Der Sozialarbeiter vertrödelte keine Zeit mit Smalltalk, sondern begann mit mir sogleich die Punkte für meine Rückreise durchzugehen.

„Damit Sie für die morgige Rückreise nach Armenien gewappnet sind, möchte ich Ihnen heute noch einmal meine Hilfe anbieten. Hier sind die Reisedokumente für Sie und Ihren Sohn." Und er fuhr fort, mir alle Details über meinen Umzug in mein Heimatland zu erklären.

Ich sass einfach da und wagte nicht, ihn zu unterbrechen. Nach einer Weile wünschte er eine Reaktion meinerseits und fragte: „Ist das für Sie verständlich Frau Hovsepyan?"

„Entschuldigen Sie", wandte ich ein. „Mein Name ist nicht mehr Hovsepyan. Ich heisse jetzt Kyburz."

Ungläubig sah er mich an und wusste offensichtlich nicht, was er auf diese völlig unerwartete Information erwidern sollte. Es war klar, dass er über meine Heirat nicht informiert war.

„Sie haben also geheiratet?"

„Ja, ich habe gestern geheiratet." Und ich nahm den Familienausweis hervor und hielt ihn dem Sozialarbeiter hin.

Irritiert ergriff er das Dokument und begann sorgfältig zu lesen.

Dabei veränderte sich sein Gesichtsausdruck immer wieder.

„Für mich ist es total überraschend, dass Sie so plötzlich verheiratet sind. Wie konnte das denn überhaupt geschehen?"

„Wissen Sie, ich habe selbst keine Ahnung. Es ging so schnell", antwortete ich und bemerkte zuerst selbst die Tatsache nicht, dass mein Gegenüber in seiner Überraschung nicht einmal daran gedacht hatte, mir zu gratulieren.

„Ich habe nur eine Erklärung", sagte ich schliesslich. „Gott hat das möglich gemacht, was niemand sonst für möglich gehalten hätte. Irgendwann werde ich ein Buch darüber schreiben."

Das Interesse des Mannes schien offensichtlich geweckt zu sein.

„Wenn Sie dies tun, dann müssen Sie mir unbedingt ein Exemplar zukommen lassen. Diese Geschichte ist so..." er rang nach dem richtigen Wort. „Unmöglich!"

„Ja, das werde ich tun", versprach ich, ohne die geringste Ahnung zu haben, wie und wann es mir möglich sein würde, tatsächlich ein Buch zu schreiben.

Und natürlich änderte sich meine Situation jetzt grundlegend. Durch meine Heirat mit Daniel hatte ich wieder die Bewilligung, um mit Vahram in der Schweiz zu bleiben.

Viele Dinge liefen wie geplant. Meine Wohnung in Spiez konnte rechtzeitig abgegeben werden. Vahram hatte sich bereits von seiner Schule verabschiedet. Es änderte sich nur, dass er das nächste Schuljahr nicht in Armenien, sondern in Thun absolvieren würde.

Alles schien sich perfekt zu entwickeln. Unser Ehestart war sehr schön, besonders unsere Flitterwoche im Tessin. Die dortige Wärme hat mir persönlich sehr gutgetan. Auch das Einleben bei Daniel verlief gut – besonders für Vahram. Bereits am ersten Abend verabschiedete er sich mit einem schlichten „Gute Nacht", zog sich in sein Zimmer zurück, wobei er seine Türe offenliess. Nach kürzester Zeit schlief er bereits fest und tief. Es war, als würde er schon seit Jahren an diesem Ort leben.

Nach drei Wochen reiste ich alleine nach Armenien, um unsere Ehe auch dort offiziell zu machen. Bei meiner Abreise hatte ich jedoch noch nicht alle nötigen Dokumente beisammen und wir hofften sehr, dass ich innerhalb der geplanten drei Wochen erfolgreich sein würde.

Ich genoss das Wiedersehen mit meiner Schwester und alten Freunden sehr. Mehrmals musste ich auf verschiedenen Ämtern erscheinen, um Formulare auszufüllen und Fragen zu beantworten. Zur selben Zeit trieb Daniel in der Schweiz die letzten benötigten Papiere auf, welche er mir alle rechtzeitig zustellen konnte. Für uns beide war es eine sehr grosse Erleichterung, als ich alle Formalitäten in Armenien innerhalb des knappen Zeitfensters regeln konnte. Ich glaube, dass uns erst nachträglich klar wurde, wie schwierig dieses Unterfangen überhaupt war. Wir haben viel gebetet und in der Folge auch erlebt, dass Gott uns wirklich hindurchhalf. Kein einziges Mal wurde ich aufgefordert, Bestechungsgeld zu bezahlen, und wurde auch kaum schikaniert.

Meine Freude war sehr gross, nach drei Wochen zurück bei meinem Ehemann zu sein und auch meinen Sohn wieder zu sehen. Nach meiner Rückkehr stellte ich sehr schnell fest, wie sich das Verhältnis zwischen Daniel und Vahram verändert hatte. Ihre Freundschaft war sehr viel tiefer geworden. Die beiden kochten zusammen, spielten Videospiele und schlugen sich neckisch gegenseitig. Was mich sehr irritierte war, wie sich Vahram bei Schwierigkeiten oft an Daniel wandte. Als Mutter schmerzte mich dies. In den letzten Jahren hatte ich mich so daran gewöhnt, immer die erste Ansprechperson meines Sohnes zu sein – jetzt war ich plötzlich überflüssig geworden.

Seit ich Jesus kannte, hatte ich es mir immer mehr zur Gewohnheit gemacht, mit meinen inneren Sorgen zu ihm zu kommen. Und so betete ich um Klarheit, wie ich mich in dieser Situation verhalten sollte. Es dauerte nicht lange, bis Jesus mir zu zeigen begann, wie schön sich doch alles entwickelte. Wir waren dabei, eine echte Familie zu werden. Es war, als hörte ich die Stimme von Jesus, die mir sagte: „Sei nicht traurig wegen dieser Veränderung! Freue dich, dass Daniel und Vahram eine so gute Beziehung zueinander gefunden haben." Daraufhin begann ich mich tatsächlich an der Freundschaft der beiden wichtigsten Menschen in meinem Leben zu freuen.

Es sollten aber noch etliche Schwierigkeiten in unserer Ehe auftauchen. Auch wenn ich darin, wie unsere Ehe zustande gekommen war, Gottes Liebe erkennen konnte, waren damit noch längst nicht unsere zwischenmenschlichen Konflikte gelöst.

Ich bin eine emotionale Person. Und ich sehnte mich danach, auch in Daniel Emotionen zu wecken. Wenn ich zum Beispiel von etwas begeistert war und ihm davon erzählte, hörte er nur zu und nickte freundlich. Ich sah keine der von mir erwarteten Gefühlsregungen. Das war für mich so schwierig, dass ich bei Daniel einfach irgendwelche Reaktionen erzwingen wollte. Ich legte es richtiggehend darauf an, mit ihm zu streiten. Doch Daniel mochte keinen Streit. Mehrmals kam es vor, dass er auf meine Versuche, ihn durch Provokationen in einen Streit zu verwickeln, so reagierte, dass er aufstand und den Raum verliess. Das machte mich noch viel wütender.

Wie sollte ich nur darauf reagieren? Ich betete, dass Jesus mir helfen würde. Ich sprach mit einer Freundin darüber, doch sie wies mich auch nur auf die Wichtigkeit hin, zu beten und um Gottes Hilfe zu bitten.

„Asya", sagte sie. „Genauso wie Jesus euch diese Ehe geschenkt hat, wird er euch auch helfen, gut miteinander umzugehen."

Das klang sehr einleuchtend, doch unsere Schwierigkeiten waren damit noch lange nicht gelöst. Als Daniel wieder einmal einfach davonging und sogar das Haus verliess, wusste ich, dass es so nicht mehr weitergehen konnte. Und so stellte ich ihn bei seiner Rückkehr zur Rede.

„Daniel, ich weiss nicht mehr weiter. Wie können wir unsere Ehe nur gut gestalten?"

Und dann spürte ich, wie auch Daniel unter der Situation litt. Für ihn war es genauso schwierig, mit meiner emotionalen und zuweilen sehr fordernden Art umzugehen. Er brauchte dann einfach Zeit, wo er sich alleine auf Gott ausrichten konnte. In diesem Gespräch wurde uns klar, dass wir beide unser Verhalten ändern mussten.

Doch etwas anderes, noch viel bedeutenderes entschieden wir an diesem Tag: Niemals mehr wollten wir eine Mauer des Schweigens zwischen uns akzeptieren. Und niemals sollten gegenseitige Beschuldigungen einfach im Raum stehen bleiben. Wir beschlossen, uns jeden Abend darüber auszusprechen, wo wir den anderen nicht verstanden. Und an jedem Abend wollten wir gemeinsam beten und Gott gemeinsam bitten, uns zu helfen.

Es wäre falsch zu sagen, dass unsere Ehe danach sofort reibungslos gelaufen wäre. Das erste Ehejahr war tatsächlich voller Konflikte. Aber wir haben gelernt, aufeinander zuzugehen, und vor allem, miteinander zu beten. Unser Vorsatz, uns jeden Abend auszusprechen und miteinander zu beten, sollte sich im Laufe der kommenden Jahre zu einer riesigen Kraftquelle in unserer Ehe entwickeln.

Als wir merkten, dass wir aufgrund unserer unterschiedlichen Hintergründe und kulturellen Prägungen immer wieder in Schwierigkeiten kommen können, beschlossen wir folgendes: Wir wollten gar nicht erst versuchen, unsere Ehe auf Konsens und Kompromisse aufzubauen (so wichtig dies auch sein mag), sondern wir entschieden uns, in eine neue Kultur des Himmels einzutreten. Immer wenn wir im Gebet Gottes Nähe fanden, fanden sich auch unsere Herzen.

Manchmal fiel es uns schwer, das gemeinsame Gespräch zu suchen. Besonders dann, wenn Konflikte in der Luft waren, neigten wir dazu, in die alten Muster zurückzufallen. Meistens war es auf meine Initiative, dass wir uns auszusprechen begannen. Andererseits war es dann aber Daniel, der oft sagen musste: „Asya, dieses Gespräch ist zu hitzig. Das hilft uns nicht weiter. Lass uns besser beten." Und er hatte Recht. Wir merkten, wie meine impulsive Art unsere Ehe genauso bereichern konnte, wie auch Daniels Ruhe und Besonnenheit. Er erlaubte mir beispielsweise nie, mich über andere Menschen auszulassen. Immer wenn ich damit beginnen wollte, bremste Daniel mich und wies mich darauf hin, dass Gott auch diese Person liebte und diese bestimmt ihre Gründe für das für uns unverständliche Verhalten hatte.

Wir blieben dran. Und wir wuchsen. Freunde aus unserem Umfeld betonten gerne die Eigenarten aus unseren unterschiedlichen Kulturen. Sie mochten uns gute Ratschläge gegeben haben, aber wir entschieden uns, unseren Kulturen nicht zu viel Aufmerksamkeit zu geben, sondern vielmehr in allem den Willen Gottes zu suchen. Dabei merkten wir beide, dass es sich lohnt, die eigenen Gewohnheiten zurückzustellen, wenn es darum geht, nach dem Vorbild von Jesus zu leben.

Etwas mehr als ein halbes Jahr war vergangen, als eines Tages eine Frau der Polizei bei uns anrief. Sie begann eine Menge Fragen zu stellen. Sie fragte, wie unser Intimleben aussah, welche gemeinsamen Aktivitäten wir pflegten und vieles mehr in dieser Art.

„Sie dürfen uns jederzeit besuchen, um sich selbst ein Bild unserer Ehe zu machen", bot ich ihr an. Es war klar, dass die Polizei uns überprüfen wollte, um zu sehen, dass wir keine Scheinehe lebten. Natürlich war es mir ein Anliegen, diese Sache klarzustellen.

Am Ende des Telefonats sagte ich zu der Polizistin: „Ich wünschte, alle Schweizer Ehepaare hätten eine so gute Beziehung wie mein Mann und ich."

Ich staunte selbst über meine Aussage, denn schliesslich stritten wir viel – sehr viel. Andererseits glaubte ich aber tatsächlich, dass unsere Beziehung eine Qualität hatte, wie sie die meisten Paare nie erleben. Leute sprachen uns oft darauf an, dass bei uns eine spezielle Einheit feststellbar sei. Wir hätten ihnen widersprechen und auf all unsere Konflikte hinweisen können. Das taten wir aber nicht, sondern sprachen lieber vom Geheimnis des Gebets, welches wir entdeckt hatten und welches unsere Ehe und unser Leben sehr reich machte.

Oft kam das Thema der Integration zur Sprache. Fühle ich mich in der Schweiz dazugehörig? Bin ich integriert? Das sind sehr interessante Fragen. Ich bin sehr kontaktfreudig, musste aber schon bald feststellen, dass dies bei den meisten Schweizern nicht so ist. Viele haben kaum noch eine Beziehung zu ihrer eigenen Familie. Immer wieder hörte ich Geschichten von Schweizern, welche ihre Eltern bereits seit einem Jahr oder noch länger nicht mehr gesehen haben. Die Leute sind beschäftigt und nehmen sich kaum Zeit, sich in Freundschaften zu investieren. Einmal erzählte mir eine Frau, wie sie in einer Diskothek einen Mann kennengelernt hatte. Zufälligerweise stellten die beiden dann fest, dass sie Cousin und Cousine waren – hatten sich zuvor nicht gekannt. Die Frau beendete ihre Geschichte mit der nüchternen Feststellung, dass es sehr gut möglich gewesen wäre, dass sie sich unwissentlich auf eine sexuelle Beziehung mit ihrem Cousin eingelassen hätte.

Was bedeutet nun also Integration für mich? In der Gesellschaft integriert zu sein, so wie es viele Schweizer sind, ist für mich nicht erstrebenswert. Viel zu viele sind einsam. Leider ging es mir auch in den ersten Jahren als Asylantin so. Im Laufe der Jahre habe ich viele echte Freunde gefunden. Seit ich Jesus persönlich kennengelernt habe, verbindet mich mit anderen Menschen, die dasselbe erlebt haben, eine ganz spezielle Beziehung. Ich wage zu bezweifeln, dass eine Zugehörigkeit, wie ich sie erlebe, auch für Schweizer normal ist.

Durch meine Heirat mit Daniel erhielt das Wort Integration dann aber doch noch einmal eine ganz neue Bedeutung. Auch durch ihn wurde die Schweiz zu meinem Land. Ich begann mich viel mehr mit diesem Land zu identifizieren. Dies geschah nicht etwa, weil ich mich besonders anstrengte, sondern vielmehr automatisch. Dass ich bereits nach drei Jahren Ehe eine Schweizer Staatsbürgerin wurde, lag schliesslich irgendwie auf der Hand.

18. Sinnvolle Beschäftigung

Für mich war es wirklich überwältigend, wie sich mein Leben veränderte. Eine echte Beziehung mit Jesus führen zu dürfen überstieg alles, was ich mir zuvor jemals hätte vorstellen können. Sein Reden zu vernehmen war aufregend und bei ihm fand ich echtes, erfülltes Leben. Und dann die Heirat mit Daniel: Bis vor kurzem war mir der Gedanke, mich noch einmal auf eine Ehe einzulassen, überhaupt nicht erst gekommen. Trotzdem war ich jetzt verheiratet und die Beziehung mit Daniel entwickelte sich äusserst positiv.

Mein Leben war reich geworden. Nicht, dass ich plötzlich über grosse finanzielle Mittel verfügt hätte, aber in meinem Herzen war ich reich. Ich hatte alles, wonach ich mich zutiefst gesehnt hatte: Zufriedenheit, Freude, Lebenskraft.

Nur eines fehlte mir. Ich brauchte eine sinnvolle Beschäftigung. Schon seit Jahren hatte ich erfolglos versucht, eine Anstellung zu finden oder zumindest eine Möglichkeit für eine Weiterbildung. Jede Anstrengung diesbezüglich war erfolglos geblieben. Als nach der ganzen Hektik rund um unsere Heirat wieder Ruhe eingekehrt war, wollte ich mich erneut aufmachen, um eine sinnvolle Beschäftigung zu suchen. Mit ganz neuer Energie begannen Daniel und ich für diese Sache zu beten.

Es dauerte nicht lange, bis mich Daniel eines Tages anrief.

„Asya, ich habe eine Stelle für dich", begann er. „In unserer Freikirche wird ein neuer Abwart gesucht. Das könnte wirklich eine gute Möglichkeit für dich und uns sein."

Ich war wie vor den Kopf gestossen. War es ihm wirklich ernst? In meiner Vorstellung ging es dabei um nichts anderes als Toiletten zu putzen und derartige Dinge. Wie konnte mein Mann eine solche Stelle als geeignet für mich betrachten. Ich war zutiefst verletzt. Besonders, weil ich derartige Arbeit als unter meiner Würde betrachtete – das war wahrscheinlich die Folge meiner Kindheit in einer reichen Familie.

Als Daniel mir später mehr Einzelheiten über die Arbeit eines Abwarts erklärte, sah für mich die Sache schon etwas besser aus. Begeistert war ich aber noch immer nicht. Etwas in mir sträubte sich. Rückblickend erkenne ich, dass es mein Stolz war, der sich weigerte, eine solche Arbeit anzunehmen. Natürlich willigte ich ein, über der Sache zu beten und auch Freunde beten zu lassen. Interessanterweise waren bald alle begeistert von dieser Möglichkeit – alle ausser mir. Es schien, als würde Jesus zu allen über meine Arbeitsstelle sprechen, nur zu mir nicht. Ein Grund mehr, unzufrieden zu sein. Und ich betete immer intensiver zu Gott. Obwohl ich betete, dass Gott mir seinen Willen zeigen würde, wollte ich insgeheim nichts anderes hören, als dass dieser Job eine dumme Idee war. Diese Arbeit schien mir unter meiner Würde zu sein. Mein Vater hatte immer Leute eingestellt, um unsere Wohnung zu putzen. Dies tat er aus Liebe und Wertschätzung uns allen in der Familie gegenüber und auch um Menschen ein Einkommen zu ermöglichen. Bislang hatte ich nie geahnt, dass Jesus an meiner überheblichen Einstellung keinen Gefallen haben könnte.

Als ich einmal allein zu Fuss unterwegs war, hörte ich plötzlich jemanden meinen Namen rufen.

„Asya!" Ich blickte mich um. Da war niemand. Die Stimme war jedoch so deutlich gewesen, dass ich mich kaum geirrt haben konnte. Noch einmal blickte ich mich um – niemand. Ich blickte sogar auf mein Telefon, um zu sehen, ob da irgendjemand dran war – das war natürlich nicht der Fall. Ein zweites und drittes Mal hörte ich die Stimme, die meinen Namen rief: „Asya!" Die Stimme war liebevoll, aber bestimmt, es war als würde mich jemand wecken oder zur Vernunft rufen.

Und plötzlich fiel es mir wie Schuppen von den Augen. „Es ist Jesus!" Im selben Augenblick, es war als würden meine inneren Augen geöffnet, erkannte ich den Willen Gottes.

„Asya! Du betest und betest – aber wieso denn eigentlich?" schien Jesus zu fragen. „So lange hast du jetzt eine Arbeitsstelle gesucht. Du hast mich angefleht, dir eine Türe zu öffnen. Warum gehst du jetzt nicht endlich? Diese Stelle will ich dir geben. Weshalb weigerst du dich? Das ist eine hervorragende Möglichkeit, wie du anderen Menschen dienen kannst. Was zögerst du?"

In diesem Augenblick erkannte ich meinen Stolz, der mich hinderte, Gottes Willen zu tun. Ich erkannte, wie eitel ich war, und bat Jesus um Vergebung.

„Es tut mir leid", betete ich. „Und hilf mir bitte, Jesus, dass ich nicht mehr von meinem Stolz geleitet werde."

Ich würde diese Stelle annehmen und dabei mein Bestes geben. Der Entscheid stand fest. Nicht mehr länger wollte ich dem Willen Gottes widerstehen.

So kam es, dass ich nach Jahren der vergeblichen Suche zu einer unerwarteten Arbeitsstelle kam. Zu der Stelle des Abwarts in der Gemeinde gehörte auch eine Wohnung. Wir würden im Gemeindegebäude selbst leben. Es war eine sehr schöne und geräumige Wohnung und wir lebten uns schnell ein.

Obwohl ich die tiefe Gewissheit gehabt hatte, am richtigen Ort zu sein und Jesus hier auf bestmögliche Weise dienen zu können, wurde ich schon sehr bald unzufrieden. Es war nicht die Arbeit an sich, die mir zusetzte, damit hatte ich mich inzwischen arrangiert. Doch das Verhalten einiger Gemeindebesucher entsprach nicht dem Bild, das ich mir von Christen gemacht hatte. Ich weiss nicht, wie es dazu kam, aber irgendwie hatte ich die irrige Vorstellung, dass sich Christen immer korrekt zu verhalten hatten. Doch ist war natürlich nicht so.

Es störte mich, wenn ich wegen der Versäumnisse der Leute zusätzliche Arbeit auf mich nehmen musste. Regelmässig räumte ich Sachen weg, die nach Gottesdiensten oder anderen Anlässen einfach liegen geblieben waren, oder musste kurzfristig Helfer organisieren, weil sich andere abmeldeten oder gar nicht erschienen.

Nein, von Christen hatte ich nun wirklich ein anderes Verhalten erwartet. Während ich mit dem Finger auf die vielen kleinen

„Vergehen" dieser Menschen zeigte, bemerkte ich gar nicht, wie unbarmherzig ich mit ihnen umging. Ich erwartete, dass Christen immer korrekt sein und nicht lästern sollten. Sie sollten auch immer zufrieden sein. An andere Menschen hatte ich nicht annähernd so hohe Erwartungen. Doch an diejenigen, welche Jesus persönlich kennengelernt hatten, glaubte ich, einen höheren Massstab anlegen zu dürfen.

Daniel versuchte immer wieder, mich zu Barmherzigkeit zu bewegen. Doch es gelang ihm oftmals nicht.

„Das ist unsere Aufgabe", sagte er immer wieder. „Und wir werden uns bemühen, unsere Sache gut zu machen." Und er half mir in vielerlei Weise wirklich sehr in meiner Aufgabe. Doch ich verfiel immer mehr in eine Haltung des Klagens und Murrens.

Unzählige Male schüttete ich Jesus mein Herz aus und klagte ihm das Fehlverhalten meiner Mitmenschen. Und es war sehr interessant: Immer, nachdem ich so gebetet hatte, war ich anschliessend neu motiviert, meine Arbeit zu verrichten. Immer sagte Jesus mir:

„Mach weiter Asya, du bist am richtigen Ort. Sei barmherzig mit deinen Mitmenschen." Wenn ich heute zurückdenke, was ich in jener Zeit gelernt habe und wieviel meines Denkens ich korrigieren musste, erkenne ich, dass ich zweifellos am richtigen Ort gewesen bin – aber ich hatte es mir definitiv anders vorgestellt.

In jener Zeit durchlebte die Gemeinde eine sehr schwierige Phase und einige Mitglieder wurden unzufrieden. Es entstanden verschiedene Gruppierungen, die sich von anderen abzugrenzen begannen. Da ich viel im Gemeindegebäude präsent war, bekam ich sehr viel mit. Und ich hatte keine Ahnung, wie ich mich zu verhalten hatte. Es war sehr schwierig. Nicht nur ich war überfordert, sondern die Gemeinde als Ganzes.

In dieser Zeit wurde ich definitiv von meiner Vorstellung geheilt, dass Christen keine Fehler machen dürfen. Das war schmerzhaft, für mein künftiges Leben aber ein sehr grosser Gewinn – auch wenn ich es damals noch nicht so sehen konnte.

Einmal traf ich im Gebäude eine Frau beim Putzen an. Ahnungslos ging ich zu ihr, um sie zu begrüssen und ein paar Worte mit ihr zu wechseln. Stattdessen musste ich einen grossen Schwall Anschuldigungen über mich ergehen lassen. Sie warf mir unter anderem vor, meine Verantwortung nicht wahrzunehmen und unaufmerksam zu sein. Ich merkte schnell, dass ich nur das Ventil für eine viel grössere, angestaute Frustration war und verzichtete darauf, mich zu verteidigen. Es gelang mir sogar, die Frau etwas zu beschwichtigen – etwas, das sie mir später sehr hoch anrechnete.

Aber ich steckte die Sache nicht so leicht weg. Nach dem Gespräch war ich derart verzweifelt und schlechter Laune, dass ich Daniel gegenüber ankündigte, bald zu kündigen. Das alles war einfach zu viel. Und wenn ich ganz ehrlich war, musste ich auch zugeben, dass die Frau mit ihren Beschuldigungen nicht ganz im Unrecht war.

Dass diese Arbeit nicht ein Lebensjob für mich war, stand für uns alle von Anfang an fest. Es war eine Chance, in der schweizerischen Arbeitswelt Fuss zu fassen und uns war klar, dass Gott mich an dieser Stelle haben wollte. Das gab mir auch immer wieder die nötige Kraft zum Weitermachen. Die neuen Leiter drückten auch mehr Wertschätzung für meine Arbeit aus, was mir zusätzlich die dringend benötigte Motivation gab.

Gleichzeitig galt es aber, langfristige Pläne für meine Zukunft zu machen. Sehr gerne hätte ich mich im sozialen Sektor investiert. Hierzu war aber eine zusätzliche Ausbildung nötig. Ich begann, mich über meine Möglichkeiten zu informieren. Nach längerem Überlegen kamen Daniel und ich zum Schluss, dass ein Praktikum die beste Möglichkeit war, um erste Erfahrungen zu sammeln und gleichzeitig eine Türe für weitere Schritte zu öffnen. Und tatsächlich hatte ich die Chance, in Steffisburg ein Praktikum im sozialen Bereich zu absolvieren.

Die letzte Zeit meiner Arbeit als Abwartin war eine grosse Herausforderung. Wiederholt musste Daniel mich richtiggehend ermahnen, dass ich meine Arbeit nicht vernachlässige. „Deine Verantwortung gilt bis zum letzten Tag deiner Anstellung und hört nicht auf, sobald du gekündigt hast." Ich bemühte mich sehr, dieser Mahnung zu folgen. Aber es gelang mir nicht immer.

Plötzlich fragte ich mich, weshalb ich denn noch immer ein Teil dieser Gemeinde bleiben wollte. Konnten wir denn nicht sonst irgendwo hingehen? Daniel war dagegen. Immer sagte er, dass es nicht gut sei, vor Problemen einfach davonzulaufen. Als ich aber immer wieder mit diesem Thema anrückte, sagte er zu mir: „Wenn du wirklich nicht mehr kommen willst, dann suche für dich eine andere Gemeinde. Ich aber werde weiterhin dieser Gemeinde treu bleiben."

Daniel blieb standhaft. Ich merkte aber, dass er mir tatsächlich den Freiraum gewährte, mich für oder gegen diese Gemeinde zu entscheiden. Ein befreundetes Paar von uns war in derselben Situation. Die Frau wollte die Gemeinde verlassen, während der Mann zu bleiben entschieden hatte. Das führte dazu, dass der Ehemann allein zu den gemeindlichen Anlässen kam. Als ich sah, wie dieser Mann litt, wurde mir klar, dass ich Daniel auf keinen Fall allein lassen würde.

Viele andere Familien und Einzelpersonen in dieser Zeit zu beobachten war für mich extrem lehrreich. Ich hatte die Gelegenheit zu beobachten, wie Menschen mit ihren Konflikten umgingen und ich konnte mir meine Vorbilder aussuchen. Zu sehen, welche Auswirkungen welches Verhalten hat, half mir, mich selbst richtig zu verhalten.

So war es für mich die normalste Sache der Welt als ich zu Daniel sagte: „Ich sehe, dass du die richtige Entscheidung für unsere Gemeinde getroffen hast. Ich werde deine Entscheidung befürworten und an deiner Seite bleiben."

Nach meiner Entscheidung, meiner Gemeinde mit Daniel zusammen treu zu bleiben, fühlte ich wie Gottes Liebe für die Kirchenmitglieder mich erfüllte. Der innere Schmerz und der Groll, den ich zuvor lange Zeit mit mir herumgetragen hatte, waren verschwunden. Auf einmal freute ich mich wieder darauf, all die Menschen der Gemeinde zu sehen.

Drei Jahre war ich als Abwartin angestellt gewesen. Drei Jahre, in welchen Gott mich in seine Schule genommen und mich sehr viel gelehrt hat. Ich glaube, dass diese Zeit die perfekte Schule war, um Gottes Barmherzigkeit für die Unvollkommenheit der Christen kennen zu lernen. Und diese Zeit beinhaltete unzählige Lektionen, damit ich in meinem Charakter geschliffen und für meine Zukunft vorbereitet wurde. Viel zu lange habe ich meine Arbeit für Gott darin gesehen, mir Mühe zu geben, alles richtig zu machen und gleichzeitig das Wichtigste ausser Acht gelassen: Menschen bedingungslos zu lieben.

Etwas später machte ich dann noch eine weitere, sehr lehrreiche Erfahrung. Es war, als viele freiwillige Helfer zu Umbauarbeiten des Gebäudes gekommen waren. An diesem Tag gingen mir plötzlich die Augen für etwas auf, das ich die ganze Zeit hindurch viel zu wenig wahrgenommen hatte: All diese Menschen kamen freiwillig! Sie kamen und opferten ihre Freizeit, um sie für die Gemeinde gewinnbringend einzusetzen. Jetzt fühlte ich in meinem Herzen auf einmal eine grosse Wertschätzung für sie. Mir wurde klar, wie oft ich nur die Mängel wahrgenommen hatte, ohne die Liebe und den Einsatz der Menschen zu sehen.

19. Innere Heilutng

„Du musst deinen Vater verstehen", versuchte ich Vahram zu erklären. Er wünschte sich wirklich, mehr über seinen Vater zu erfahren und die Zusammenhänge unserer schweren Vergangenheit zu verstehen.

„Dein Vater hatte selbst eine sehr schwierige Kindheit. Er wuchs auf ohne einen Vater, der ihn liebte. Sein leiblicher Vater hatte die Familie verlassen. Und dann kam noch diese Krankheit hinzu, welche es ihm unmöglich machte, gegen seine schlechten Stimmungen anzukämpfen."

Meine Haltung meinem ExMann gegenüber hatte sich wirklich stark verändert. Meine Beziehung mit Jesus brachte auch hier eine grosse Wende in meine Gedankenwelt. Einmal offenbarte mir Gott sein liebendes Herz für Vahrams Vater. Ich fühlte Gottes Trauer über das schwere Leben Varuschans und sein grenzenloses Erbarmen über ihn. Diese unendliche Liebe Gottes berührte mich tief. Für mich war diese Offenbarung ein Wendepunkt.

In jenem Moment erfüllte Gottes Liebe für Varuschan mein Herz. Diese Liebe war rein. Da war keine Romantik, auch kein billiges Mitleid. Nein, es war das tiefe Erbarmen Gottes über einer Person, welche die Würde verloren hatte, die Gott ihr eigentlich geben wollte.

Diese Erfahrung ermöglichte es mir, meinem ExMann von Herzen zu vergeben. Dadurch erfuhr ich innere Heilung und eine neue Freiheit. Ich merkte aber auch, dass es noch vieles in meinem Leben gab, welches ebenfalls nach Heilung verlangte.

Seit ich Jesus in mein Leben eingeladen habe und mich entschied, ganz für ihn zu leben, wurde mir immer wieder deutlich, wie viel an mir nicht gut war. Ich war ungeduldig, stolz und auf ungesunde Weise ehrgeizig. Zahlreiche schlimme Erfahrungen konnte ich bislang nicht verarbeiten. Früher hatte ich diese Probleme immer verdrängt oder auf die Menschen geschoben, die mich verletzt hatten. Doch jetzt geschah es oft, wenn ich die Bibel las, dass ich mich wie in einem Spiegel betrachten konnte. Das waren viele Augenblicke, in denen ich merkte, dass da noch einiges in mir im Argen lag. Interessanterweise führten diese Momente aber nie dazu, dass ich an Gottes Liebe zu mir gezweifelt hätte.

Ich hatte aber keine Ahnung, wie ich all meinen Defiziten begegnen konnte. Einige Dinge begannen sich langsam zu verändern, doch ich merkte, dass ich noch viel mehr Veränderung brauchte. Und ich wollte diese ersehnte Veränderung schnell – so war ich halt – leider.

Nach meiner Heirat erzählte ich Daniel von meinem Wunsch nach persönlicher Veränderung. Ich wünschte mir Freiheit von den schlechten Einflüssen, welche meine traumatischen Erfahrungen auf mich ausübten. Weiter sehnte ich mich danach, meine schlechten Charaktereigenschaften loszuwerden. Da waren Eitelkeit und viele andere Dinge in mir, die mich hinderten, Jesus nahe zu sein. Das merkte ich sehr gut und litt darunter. Doch es gelang mir nicht, aus meiner Haut zu schlüpfen und einfach anders zu sein.

Daniel begann, mir viel über Seelsorge zu erzählen. Er selbst hatte viele Erfahrungen damit gemacht und selbst sogar eine Ausbildung absolviert. Je mehr er erzählte, desto mehr wuchs der Wunsch in mir, einen Seelsorger zu finden, der mit mir meine Erfahrungen und schlechten Prägungen näher betrachten konnte. In der armenischen Kirche hatte ich nie etwas von Seelsorge gehört. Dort wäre es mir nie in den Sinn gekommen, Gespräche mit dem Priester oder einer anderen Person in Anspruch zu nehmen. Damals hätte ich aber auch keinen Sinn darin gesehen. Ich hatte keine Vorstellung davon, mit Gott eine persönliche Beziehung zu haben oder eine göttliche Realität persönlich zu erfahren. Doch jetzt war dies anders. Die Beziehung mit Jesus und das neue Leben, welches er mir gegeben hatte, bedeuteten mir einfach alles. Unbedingt wollte ich darin wachsen.

In unserer Nachbarschaft lebte ein älterer Herr, der mich immer äusserst freundlich grüsste.

„Weisst du, wer dieser Mann ist?" fragte ich Daniel einmal.

„Ja, das ist ein pensionierter Pfarrer", antwortete er. „Ich habe dir schon von ihm erzählt und dir gesagt, dass er auch Seelsorger ist."

„Was denkst du: Könnte ich zu ihm in die Seelsorge gehen?"

„Frag ihn doch einfach einmal!"

Diesen Rat beherzte ich und sprach ihn, als wir uns das nächste Mal begegneten, einfach darauf an. Und er willigte ein, mich zu einem Gespräch zu treffen. Aus diesem Gespräch wurden sehr viele weitere. Da der Mann pensioniert war, hatte er die Möglichkeit, sehr viel in diese Gespräche zu investieren – eine Chance, die ich wirklich nutzte.

Anfänglich hatte ich meine Mühe, mich auf eine gute Weise in die Prozesse innerer Heilung hineinzugeben. Einerseits war ich viel zu fordernd und wollte alle Veränderung möglichst sofort erleben, andererseits musste ich aber auch lernen, dass Gott mich wirklich immer wieder an Punkte führt, wo Heilung geschehen kann – zuweilen auch sehr schnell. Nach einigen Gesprächen begann ich mich aber zu entspannen. Mein Seelsorger war mir dabei eine sehr grosse Hilfe. Er war nie in Eile. Er sprach langsam und machte gerne auch immer wieder Pausen, damit ich über seine Worte nachdenken konnte. Oft waren wir in unseren Sitzungen auch im Gespräch mit Jesus, welcher uns immer wieder die nötigen Hinweise gab, damit ich Fortschritte machen konnte.

Oft erkannten wir Dinge, an denen ich mich auf schlechte Weise festhielt. Es waren zum Beispiel Erinnerungen, an die ich mich klammerte und die mein Verhalten bestimmten, und manchmal entdeckten wir schlechte Charaktereigenschaften, welche wir auf Ereignisse aus der Kindheit zurückführen konnten. Es galt dann, mich von diesen Dingen zu trennen.

Als Edward starb, hatte mich mein Nachbar Erich aufgefordert, ihn loszulassen. Er sagte, dass es mir nicht gut gehen werde, wenn ich mich weiterhin so an ihn hänge. Es ging sehr schnell, dass ich verstand, was dieses Loslassen bedeutete. Ich liess los – und erlebte in der Folge eine sehr grosse Freiheit.

Das Verständnis dieses Loslassens half mir auch jetzt immer wieder. Unzählige Male musste ich etwas loslassen. Und das war nicht etwa eine passive Handlung oder das mechanische Abspulen einer gewissen Formulierung. Nein, ich musste mich innerlich von etwas trennen. Es war der Entscheidungsakt, etwas loszuwerden. Da konnte ich richtig aggressiv rangehen. Wenn ich merkte, dass mich eine Sache hinderte, in Gottes Willen zu leben, dann wollte ich mit dieser Sache nichts zu tun haben.

Viel zu lange habe ich keine Verantwortung für mein Leben übernommen. Die Verantwortung für meine Situation hatte ich auf Menschen geschoben, die mir wehgetan hatten, oder auch einfach misslichen Umständen die Schuld gegeben. Aber das führt nirgendwo hin. Es war wichtig, die Verantwortung für mein Leben zu übernehmen und ich lernte, dies auf sehr radikale Weise zu tun. Doch mindestens so wichtig ist für mich die Tatsache geworden, dass Gott selbst mir auf meinem Lebensweg hilft. Würde ich versuchen, aus meiner eigenen Kraft heraus, mein Leben meistern zu wollen, würde ich mit Sicherheit scheitern.

Die Missstände in meinem Leben beim Namen zu nennen, wurde mir deshalb sehr wichtig. Ich will nicht mehr Dinge schönreden, die einfach nicht gut sind. Andererseits musste ich aber auch lernen, all das Unvollkommene in Gottes Hände zu legen. Ich kann mich nicht selbst ändern. Aber Gott hilft mir dabei. Wenn ich über den Dingen bete, die mir an mir selbst zu schaffen machen, dann geschieht es oft, dass Jesus den Finger auf eine Sache legt und mich dabei auffordert, mich dieser bestimmten Sache zu stellen. Dann kann ich auch gewiss sein, dass Veränderung geschehen wird.

Es gibt Dinge, von denen mich Jesus vollständig geheilt und frei gemacht hat. Dazu gehört der Tod meines älteren Sohnes. So gross der Schmerz damals auch war, wurde ich doch zu 100 Prozent von jeglichen schlechten Gefühlen darüber befreit. Der Verlust war sehr schlimm gewesen, aber ich habe Ruhe und Trost darüber gefunden. Ich wage zu sagen, dass diese Tragödie mein heutiges Leben in kaum mehr negativ beeinflusst.

Andere Probleme hingegen begleiten mich bereits seit Jahren. Und ich bin sicher, dass ich auch im hohen Alter noch Charakterschwächen haben werde. Doch genauso überzeugt bin ich, dass es weniger sein werden als heute. Schon in einem Jahr werde ich durch Gottes Wirken an mir in meinem Charakter gewachsen sein. Ich werde befreiter leben können, denn das Wirken von Jesus an mir hört niemals auf.

Das grösste Abenteuer meines Lebens ist, Jesus immer näher zu kommen. Immer wieder entdecke ich eine Facette meines Lebens, die Gott verändern will. Und immer wieder finde ich mich in unerwarteten Situationen wieder, wo ich Menschen dienen und etwas Gutes in ihr Leben legen kann. Egal wie unvollkommen ich auch sein mag: Jesus hat immer einen Weg für mich bereit, wie ich für andere ein Segen sein kann. Das gibt meinem Leben Sinn und lässt mich immer wieder beten, dass Jesus mich verändert und alles von mir nimmt, was mich hindert, ihm nahe zu sein und seinen Willen zu tun.

Ich liebe es, meinen Glauben und alles, was Jesus an mir getan hat, mit anderen Menschen zu teilen. Es gab Momente, in denen ich glaubte, erst ein perfektes Vorbild sein zu müssen, bevor ich anderen etwas weitergeben kann. Das ist Unsinn. Nie werde ich perfekt sein. Der Wunsch, von anderen als gutes Vorbild wahrgenommen zu werden, ist ein weiterer Ausdruck von Stolz und Eitelkeit. Das musste ich loslassen. Auch damit wollte ich nichts zu tun haben. Loslassen ist befreiend! Loslassen wurde für mein Leben zu etwas sehr Wichtigem und Zentralem. Ich lasse auch los, andere Menschen irgendwie verändern zu können. Das geht nicht und ist nichts als ein Ausdruck meines Stolzes.

Es gibt so viele Dinge, die ich loslassen musste, und mit Sicherheit werde ich in meinem Leben noch sehr vieles loslassen müssen. Und es wird immer wieder befreiend sein. Ich freue mich aber auch darüber, dass ich einfach teilen kann, was Jesus mir gegeben und mich gelehrt hat. Und wenn ich anderen Menschen auch nur Mut machen kann, ihrerseits loszulassen und Jesus in ihr Leben einzuladen, dann ergibt mein Leben einen tiefen Sinn.

Viele Leute versuchen, ihre Lasten loszulassen, um so ihre Probleme loszuwerden. Ich habe aber beobachtet, dass die meisten denselben Ballast aber in Kürze wieder aufnehmen. Für mich wurde das klar, als ich verstand, dass ein „Loslassen" gleichzeitig ein „Gott geben" bedeuten muss. Ich lasse los, woran mein Herz sich klammert und was meinem Leben doch keinen Gewinn gibt, und gebe es in die Hände Gottes. In dem Moment, wo ich erkenne, wie Gott seine Hände ausstreckt, um mir das Problem abzunehmen, und ich meine Hand öffne, um ihm meinen Ballast zu geben, geschieht echte Veränderung!

Das ist wunderbar!

Ganz eindrücklich konnte ich dies erfahren, als ich meiner Ex-Schwiegermutter vergeben hatte. Der Auslöser hierzu war, als eine Frau erzählte, wie sie ihrer eigenen Schwiegermutter vergeben hatte. Gott hatte sehr eindrücklich zu ihr gesprochen und sie auf die Wichtigkeit von Vergebung hingewiesen. Als sie Gottes Drängen nachkam und vergab, hatte dies eine befreiende Wirkung für die Frau.

Diese Geschichte berührte mich sehr und ich spürte, dass ich dasselbe auch tun musste. Tagelang fühlte ich den Wunsch, meine ExSchwiegermutter anzurufen. In diesen Tagen wurde mir deutlich bewusst, dass ich diese Frau nie als meine Schwiegermutter angenommen hatte und ihr dadurch mit Ablehnung begegnet bin. Das tat mir leid.

So wählte ich ihre Nummer und hörte dem Summton zu.

„Ja", hörte ich schliesslich ihre Stimme.

Es folgte ein Gespräch über mehrere Stunden. Ich schilderte ihr meine damalige Situation, als ich heiratete, und dass mir bewusst geworden sei, dass ich sie nie als Schwiegermutter angenommen hatte.

„Es tut mir leid! Ich bitte dich um Vergebung für mein Verhalten." Dabei hatte ich nicht die geringste Erwartung, dass sie sich ebenfalls entschuldigen würde. Ich spürte auch absolut keinen

Groll mehr ihr gegenüber.

„Bitte, vergib mir!" bat ich ernsthaft.

Durchs Telefon hörte ich, wie sie weinte. Und dann begann sie zu reden.

„Asya, ich muss mich auch bei dir entschuldigen. Ich habe euch das Leben sehr schwer gemacht, indem ich mich viel zu sehr in euren Leben eingemischt habe."

Und dann begann sie mir zu erzählen, wie sie selbst Gott kennengelernt hatte. Sie suchte Anschluss an eine christliche Gemeinde. Dort hatte sie auch mit einem Pastor gesprochen, der ihr sehr geholfen hat.

„Aber", sagte sie mit trauriger Stimme. „Dass du meinen Sohn, Varuschan, verlassen hast, kann ich dir noch nicht vergeben."

„Das ist Vergangenheit. Ich sage nicht, dass die Scheidung richtig war. Doch das liegt hinter mir und ich lebe heute mit Gottes Vergebung und schaue vorwärts. Ich habe deinem Sohn alles, was er mir getan hat, vergeben. Ich schaue nicht zurück, sondern vorwärts. Ich verstehe, dass Varuschan krank ist und seine Gefühle nicht unter Kontrolle halten kann. Von Herzen wünsche ich mir, dass er gesund wird, ich bete für ihn, dass er in seinem Leben Sinn und Erfüllung finden kann, so wie auch ich es gefunden habe. Damals lebten wir alle in einer Notsituation – ich weiss nicht, was damals das Richtige gewesen wäre. Aber heute sehe ich, dass Gott das Schlimme jener Zeit zum Guten wendet."

Und dann gab ich ihr einen Rat: „Du kannst zu Jesus gehen und ihm sagen, dass du Asya nicht vergeben kannst und Gottes Hilfe brauchst. Er kann dir helfen, Asya zu vergeben, so wie ich euch vergeben konnte." Ich fühlte eine grosse Freude und gleichzeitig eine tiefe Ruhe in mir. Welch ein Vorrecht, meiner Ex-Schwiegermutter mit reinem Herzen einen Rat geben zu können!

Sie weinte.

„Ich bete für euch!" versprach ich.

20.   Gehen auf dem Wasser

Bereits während meines Sozialpraktikums litt ich unter starken Rückenschmerzen. Die Ärzte hatten auch sehr schnell die Diagnose gestellt: Diskushernie. Nähere Untersuchungen ergaben, dass eine Operation in meinem Fall nicht vielversprechend war.

Irgendwie schaffte ich es, das Praktikum fertig zu machen und erhielt am Ende sogar ein gutes Arbeitszeugnis. Für mein weiteres Leben konnte ich in dieser Zeit viele wertvolle Dinge lernen.

Wegen meiner Diskushernie wurde mir geraten, einen Antrag an die Invalidenversicherung (IV) zu stellen, damit diese für eine Ausbildung aufkommen würde, die mir eine Arbeit mit minimaler Belastung des Rückens ermöglichte.

So konnte ich die Ausbildung beginnen, an deren Ende ein Bürofachdiplom auf mich wartete. Alles bezahlt von der IV. Da sich Daniel in dieser Zeit als Webdesigner selbstständig gemacht hatte und sein neu gegründetes Geschäft noch keinen Gewinn abwarf, waren wir für diese Unterstützung sehr dankbar.

Aber noch bevor ich mit meiner Ausbildung begann, beteten einige Christen, dass Gott meinen Rücken heilen möge. Und tatsächlich: Das Wunder geschah, die Schmerzen verschwanden und kamen auch nicht wieder zurück. Nach einiger Zeit begann mich das schlechte Gewissen zu plagen. Es war nicht richtig, dass die IV noch immer für meine Ausbildung bezahlte, während der Anlass für diese Unterstützung verschwunden war. Unsere Existenz stand damals auf wackligen Beinen. Doch ich wusste, dass Ehrlichkeit das Richtige war, und ich wollte vor Gott mit reinem Gewissen dastehen.

So kontaktierte ich die IV und erklärte, dass ich von der Diskushernie geheilt sei.

„Diskushernie wird nicht einfach plötzlich geheilt", wurde ich belehrt.

„Doch, die Schmerzen sind total weg", beharrte ich. „Einige Menschen haben für mich gebetet und Gott hat mich völlig geheilt."

„Ich habe persönlich auch erlebt, wie die Schmerzen nachliessen. Doch später kam der Schmerz wieder zurück." Der Sachbearbeiter war alles andere als überzeugt.

„Wenn das so ist, werde ich zum Arzt gehen und mir die Heilung von ihm bestätigen lassen."

Also ging ich zum Arzt. Dieser sollte mich noch einmal untersuchen und meine Heilung bestätigen. Doch auch hier stiess ich auf Widerstand.

Der Arzt blickte mich mit einem Blick an, in welchem sich Überraschung ausdrückte. Dann begann er, an meinem Rücken herumzudrücken und mir einige Fragen zu stellen.

„Es tut mir leid Frau Kyburz, aber ich kann Ihre Heilung medizinisch nicht bestätigen."

„Können Sie denn nicht noch ein Röntgen durchführen, um so etwas zu erkennen?"

„Nein, das ist nicht nötig. Es gibt nichts Weiteres zu tun. Gehen Sie nach Hause, empfangen Sie von der IV die Bezahlung Ihrer Ausbildung. Die Schmerzen könnten jeden Tag zurück sein."

Ich war verzweifelt. Eigentlich hätte ich dankbar sein sollen, die Finanzierung der Ausbildung zu empfangen. Aber es war nicht richtig – davon war ich zutiefst überzeugt. Doch was hätte ich weiter tun sollen? Unehrlichkeit konnte mir wirklich niemand mehr vorwerfen. So kam es, dass ich die Unterstützung von der IV, auf welche wir nach wie vor angewiesen waren, weiterhin empfing und meine Ausbildung abschliessen konnte. Die Schmerzen kamen nie wieder zurück! Gott hatte mich von den Schmerzen geheilt, unter welchen ich zuvor wirklich sehr gelitten hatte. Immer wieder war es aufregend zu erleben, wie Gott in die Situationen von Menschen eingreift, die ihn darum bitten.

Im Gegensatz zu anderen Schülern brauchte ich viel Zeit zum Lernen. Das Wissen über die Grundlagen der Schweizer Gesetze musste ich mir selbstständig und mit Hilfe junger Freunde aneignen. Doch es ging und ich begann auch zu ahnen, dass diese Ausbildung gerade auch für Daniels Geschäft und auch für viele andere Dinge noch sehr wertvoll sein würde.

Damals wurde mein Wunsch immer stärker, meine Geschichte aufzuschreiben und in Buchform zu veröffentlichen. Immer wieder ermunterten mich verschiedene Leute dazu und ich spürte auch ein inneres Drängen. Doch selbst zu schreiben war unvorstellbar. Die deutsche Sprache beherrschte ich einfach zu wenig. Als ich mit einem Ghostwriter Kontakt knüpfen konnte, welcher auch wirklich bereit war, mein Buch zu schreiben, sah ich mich bereits, wie ich meine Geschichte in gedruckter Form an viele Menschen weitergab. Und wie ich mich darauf freute! Es begeisterte mich immer, wenn ich meine Geschichte mit anderen teilen konnte.

Doch während der Abklärungen noch liefen und die Planung mit dem Ghostwriter auch gut voranschritt, hatte Daniel plötzlich seine Einwände. Er fühlte, dass es einfach noch zu früh war. Auch die Leiter der Freikirche, welche wir um deren Segen für dieses Projekt gebeten hatten, glaubten, dass es besser sei, mit dem Buch noch etwas zu warten.

Für mich brach eine kleine Welt zusammen. Ich hatte mich sehr auf dieses Buch gefreut. Es gelang mir aber, die Sache Jesus abzugeben.

„Jesus, ich lasse meinen Traum von meinem Buch los. Ich gebe dir diese Sache in deine Hände und vertraue dir, dass du zu einem späteren Zeitpunkt Gelingen schenken kannst." Nachdem ich gebetet hatte, begann in mir eine innere Zuversicht zu wachsen, dass alles so in Ordnung war. Der Verlustschmerz liess auch bald nach und wir blickten zuversichtlich in die Zukunft.

Daniels Geschäft entwickelte sich langsamer, als wir erhofft hatten. Er erhielt zwar immer wieder gute Aufträge, doch es war einfach nicht genug. Wir hätten davon nicht leben können. Täglich beteten wir, dass Gott uns mit allem versorgen würde, was wir zum Leben brauchten. Und wir erlebten seine göttliche Versorgung tatsächlich immer wieder. Es waren meist keine spektakulären Dinge, wie wir zu Geld kamen. Darin, dass wir immer zur rechten Zeit von irgendwoher Hilfe erhielten, konnten wir aber sehr wohl die Hand Gottes erkennen, der uns versorgte.

Vahram, der inzwischen auch selbst Geld verdiente, unterstützte uns aus freien Stücken. Dafür waren wir ihm sehr dankbar.

Eine unerwartete Türe öffnete sich in der Institution, wo ich mein Sozialpraktikum absolviert hatte. Während ich noch in der Ausbildung war, riefen sie mich an, um mir einen Teilzeitjob als Miterzieherin anzubieten. Der Lohn war nicht sehr hoch, gab uns aber die dringend benötigte finanzielle Entlastung. Das kleine Arbeitspensum ermöglichte mir auch, genügend Zeit für meine Ausbildung zu haben. Später, als ich die Ausbildung bereits fertig hatte, erhielten wir ein Mandat in einem christlichen Werk, was uns neben der finanziellen Entlastung auch die Möglichkeit bot, in unserem Leben mit Jesus zu wachsen.

Wir lernten, dass die Versorgung Gottes uns nicht davon entbindet, verantwortungsbewusst mit unserem Geld umzugehen. Das Wichtigste, das wir in dieser Zeit lernten, war die tiefe Bedeutung des Prinzips des Zehnten. In der Bibel finden wir viele Hinweise auf das Geben von zehn Prozent des Einkommens für Gottes Reich. Indem wir diese zehn Prozent geben, weihen wir unsere ganzen Finanzen Gott. Gleichzeitig drücken wir unser Vertrauen Gott gegenüber dadurch am besten aus, wenn wir ihm seinen Teil geben, bevor wir die Gewissheit haben, dass wir auch alle Rechnungen wirklich bezahlen können.

Eine Zeitlang haben wir das Geben des Zehnten vernachlässigt, weil wir dachten, es könnte nicht Gottes Willen entsprechen, wenn wir in der Folge unsere Rechnungen nicht mehr bezahlen können. Da mussten Daniel und ich radikal umdenken. Geben wir Gott den ersten Platz? Sind wir bereit, die ersten zehn Prozent unseres Einkommens ihm zu geben? Oder geben wir ihm nur, was am Ende übrigbleibt?

Es war sehr interessant: Sobald wir uns entschieden hatten, den Zehnten Gott zu geben, wurde unsere finanzielle Situation besser. Wir können uns dies nicht anders erklären, als dass Gott unser Vertrauen belohnt und uns gesegnet hat.

Damit wurden wir natürlich nicht vor Schwierigkeiten verschont, sondern machten die Erfahrungen der meisten Menschen, die sich selbständig machen. Kunden erteilten uns Aufträge, bezahlten aber die Rechnung nie. Tausende von Franken haben wir auf diese Weise verloren und durften uns im Gegenzug darin üben, ihnen zu vergeben. Einerseits war dies schwierig, besonders, weil die Schulden uns im Nacken sassen. Andererseits erkannten wir aber sehr wohl, wie Gott uns dadurch formte und unser Vertrauen auf ihn immer grösser wurde.

Es kam sogar vor, dass wir nichts mehr zu essen in der Küche hatten, während unser Konto auf null war. Da konnte sich schon mal eine resignierte Haltung bei uns bemerkbar machen. Doch Daniel und ich wiesen einander immer wieder auf unseren versorgenden Gott hin und wandten uns an ihn. Und wir erlebten, wie uns Menschen spontan zum Essen einluden. Einmal sogar in ein nobles Restaurant. Gott ist grosszügig, selbst dann, wenn wir nicht wissen, was wir am nächsten Tag essen sollen.

Einmal, als unser Kontostand ganz tief war, ging gerade mein Olivenöl aus. Ich liebte dieses Öl sehr und bedauerte, dass wir uns solche Luxusartikel zurzeit gerade nicht leisten konnten. Doch da erinnerte ich mich an eine Geschichte in der Bibel, die ich gerade einige Tage zuvor gelesen hatte. Der Prophet Elia war gerade bei einer Witwe zu Besuch, die sich in grosser Armut befand. Elia forderte sie auf, ihren kleinen Rest Öl in Gefässe abzufüllen und diese dann zu verkaufen. Auf wundersame Weise vermehrte Gott dann das Öl und die Witwe konnte damit genug Geld verdienen, um alle ihre Schulden zu bezahlen.

„Das will ich auch", sagte ich zu Jesus und war gespannt, wie er mein Gebet erhören würde. Am liebsten hätte ich gehabt, wenn Gott mir aus dem Himmel eines dieser ganz edlen Öle, welche in Italien gepresst werden, geschickt hätte. Wenn ich mich recht erinnere, hatte ich aber nicht einmal den Mut, um genau dieses Öl zu beten.

Es geschah nichts. Gar nichts, stundenlang – bis es schliesslich Abend wurde und ich enttäuscht zu Bett ging.

Am nächsten Tag ging der Betrag eines Kunden auf Daniels Konto ein. Dankbar kaufte ich mir eine Flasche Öl, verzichtete aber auf das teure Olivenöl und entschied mich für ein günstigeres.

Am selben Abend waren wir bei Freunden zum Abendessen eingeladen. Die Gastgeberin übergab mir als Geschenk eine Flasche Öl. Als ich das Etikett sah, begann ich zu weinen. Es war gepresstes Olivenöl aus Italien.

„Asya, was ist denn?" fragte die Freundin, die meine Tränen gesehen hatte.

„Dieses Geschenk ist von Gott", brachte ich hervor, während ich mich bedankte.

Das war ein weiteres eindrückliches Zeichen, dass Gott grosszügig ist und tatsächlich bereit ist, seinen Kindern Herzenswünsche zu erfüllen. Auch wenn er uns manchmal auf Wegen der Entbehrungen viele wertvolle Dinge lehren will.

Einmal erhielten wir eine grosszügige Hilfe eines Bekannten, der unsere damaligen Schulden deckte! Als Geschenk, ohne irgendwelche Erwartungen auf eine Gegenleistung!

Nachdem Vahram mehrere Jahre mit uns zusammengelebt und in dieser Zeit auch einen Teil der Wohnungsmiete übernommen hatte, entschied er jetzt doch, uns zu verlassen und eine eigene Wohnung zu beziehen. Wir freuten uns sehr, da wir glaubten, dass dieser Schritt für ihn reif war. So kündigten wir, noch ehe wir eine andere Wohnung hatten – Gott würde uns schon eine neue Bleibe schenken.

Das war dann aber nicht so einfach. Wir suchten und suchten, fanden aber keine geeignete Wohnung. Interessanterweise stresste uns das jedoch überhaupt nicht. Wir waren so gelassen, dass unsere Ruhe andere Menschen erstaunte.

Der Zeitpunkt kam, dass wir unsere Wohnung verlassen mussten – und wir hatten noch immer keine neue gefunden.

Und so begann das Abenteuer!

Es folgten drei aufeinanderfolgende Zwischenlösungen, von welchen ich keine einzige gewählt hätte. An jeder Station hatten wir aber alles was wir brauchten, und trafen immer mit Menschen zusammen, die uns zum Segen wurden und für welche auch wir einen Dienst tun konnten. Dies half uns, Dinge aus unserer Vergangenheit in Ordnung zu bringen und auch andere Menschen auf Gottes Heilungskraft hinzuweisen.

Es war eine schwierige, vor allem aber sehr reiche Zeit! Wir haben wirklich Gott erlebt und dadurch einen grossen Gewinn für unser Leben erhalten. Andererseits war es anstrengend. Und zuweilen auch demütigend. Es war wirklich keine Ehre, keine eigene Wohnung zu haben, die wir nach eigenem Gutdünken einrichten konnten. Dazu kamen viele Menschen aus unserem Bekanntenkreis, die uns nicht verstanden.

„Was ist denn mit euch los?" Oder: „Wie könnt ihr nur so leben? Das kann doch nicht Gottes Wille sein." Und viele andere derartige Aussagen mussten wir über uns ergehen lassen. Das tat weh. Umso motivierender waren für uns die wenigen Menschen, die uns wirklich verstanden. Einige betonten, wie unser Lebensstil für sie selbst eine Ermutigung sei. Das machte uns selbst auch immer wieder Mut. Geschichten zu hören, wie andere Leute, die Führung und Versorgung Gottes erlebt hatten, stärkte unseren Glauben.

Was mich sehr verwunderte, war das mangelnde Verständnis, welches die meisten Christen für unser Leben aufbrachten. Viele sprachen zwar davon, Gott in ihrem Leben bedingungslos zu vertrauen, doch dies war in meinen Augen nur Theorie. Unser Weg des Glaubens, den wir in jener Zeit beschritten, wurde dann doch mit Worten wie „naiv" oder „verantwortungslos" kommentiert. Dabei hatten wir alles, was wir zum Leben brauchten.

Nach elf Monaten des „Nomadenlebens" konnten wir uns letztlich doch in einer schönen Wohnung in einem Zweifamilienhaus in Thun niederlassen. Es war wunderbar, endlich ein eigenes Heim zu beziehen. Unsere finanzielle Situation hatte sich inzwischen etwas verbessert und wir dankten Gott dafür. Heute sind wir aber nicht nur dafür dankbar, dass wir finanziell versorgt wurden, sondern auch für den Weg des Glaubens und Vertrauens, den er uns geführt hat. Durch diese Lektion lernten wir einen Gott kennen, der uns auch in Zukunft führen wird. Das macht uns ruhig und zuversichtlich.

Wir können noch immer keine finanzielle Erfolgsgeschichte erzählen. Es gibt keinen geschäftlichen Aufstieg wie im Bilderbuch. Doch wir können die Geschichte eines versorgenden Gottes erzählen.

Heute sehen wir uns in erster Linie als Diener Gottes. Natürlich haben wir unsere Wünsche, die wir gerne vor Gott bringen. Doch in erster Linie wollen wir danach fragen, was Gott will, und uns nicht von unserem Kontostand leiten lassen.

21. Beginnender Dienst

„In Armenien findet ein grosser Kongress zum 60. Jubiläum der Arbeit *Geschäftsleute des vollen Evangeliums Internationale Vereinigung* von Demos Shakarian statt."

Diese Information liess mich nicht mehr los. Zutiefst in meinem Herzen wusste ich, dass ich da unbedingt hingehen musste – vor allem weil Demos ein gebürtiger Armenier war. Doch unser Bankkonto war wieder einmal leer. Das war eine dieser Situationen, in welchen es sich entscheidet, ob ich mein Leben von meinen Möglichkeiten abhängig mache oder doch auf das baue, was ich als Gottes Wille erkenne.

„Ich will nach Armenien gehen", sagte ich deshalb zu Daniel.

„Ich kann dir für die Finanzierung der Reise nicht helfen", antwortete mein Mann. Das war eine nüchterne Feststellung. Inzwischen hatte aber auch Daniel gelernt, unser Planen nicht vom aktuellen Kontostand abhängig zu machen.

Da ich diese tiefe Gewissheit in mir hatte, dass Gott mich in Armenien haben wollte, war ich auch überzeugt, das nötige Geld irgendwie zu erhalten.

Genau in dem Moment, als ich im Internet nach einem Flugticket suchte, kam Vahram voller Freude in die Wohnung gestürmt und überraschte uns mit einer ganz aufregenden Neuigkeit: „Ich habe eine Gratifikation erhalten!" platzte er heraus und strahlte dabei übers ganze Gesicht.

„500 Franken hat mein Chef mir für meine gute Arbeit gegeben. Das erste Mal eine Gratifikation. Nachdem ich so lange so hart gearbeitet habe, habe ich jetzt dieses Geld erhalten. Ich freue mich so!" Es kann sein, dass ich meinem Sohn gegenüber in diesem Augenblick nicht sehr feinfühlig war. Auf jeden Fall dachte ich sofort daran, dass ich dieses Geld haben wollte. Das Flugticket kostete nämlich genau diesen Betrag.

„Könntest du mir das Geld geben?" fragte ich ohne grosse Umwege.

„Wieso?" Vahram schaute mich überrascht und ungläubig an. Verständlich. Er freute sich so sehr über diese Zuwendung von seinem Chef und seine Mutter dachte nur daran, das Geld für sich zu haben.

„Natürlich werde ich dir das Geld zurückgeben. Ich bitte dich nur, es mir auszuleihen." Da ich wusste, wie er sich schon seit langem wünschte, nach Armenien zu reisen, dies ihm aber aufgrund seiner dortigen Militärpflicht unmöglich war, versuchte ich, meine Reisepläne geheim zu halten. Doch Vahram liess nicht so schnell locker.

„Du willst dir mein Geld ausleihen? Dann sag mir doch zumindest, was du damit tun willst. Weshalb sollte ich dir das Geld geben?"

Ich fühlte, wie ich keine Chance hatte und ihm die Wahrheit sagen musste.

„Ich möchte eine Konferenz in Armenien besuchen", sagte ich schliesslich. Vahram sah mich an und ich merkte, dass ihn diese Information schmerzte.

„Nein", sagte er unwirsch, drehte sich um und zog sich auf sein Zimmer zurück. Da hatte ich mich wohl gerade nicht allzu geschickt verhalten.

Doch die Sache liess Vahram keine Ruhe. Am nächsten Morgen, nachdem er Stunden wachgelegen hatte, kam er und überraschte mich mit seiner Entscheidung, mir das Geld auszuleihen.

„Gib es mir zurück, sobald du kannst. Es eilt nicht."

So kam es, dass ich die Möglichkeit hatte, nach Armenien zu reisen. Die Konferenz war inspirierend und ich konnte ein paar sehr interessante Personen treffen. Ich kann nicht mehr genau sagen, wie es dazu kam, aber der Pastor der dortigen Kirche erliess mir alle Kosten. Und er hatte mich zuvor überhaupt nicht gekannt.

Als ich wieder in der Schweiz war, erfuhr ich eine grosse Überraschung. Vahram kündigte an, dass er mir 200 Franken erlassen wollte. Dies sei als seine persönliche Spende an uns zu verstehen. Es fehlten also noch 300 Franken. Danach verging einige Zeit, bis Vahram eines Tages zu mir kam.

„Mutter, ich bin gerade etwas in Geldnot. Wäre es dir möglich, mir das geliehene Geld, oder zumindest einen Teil davon, zurückzugeben?"

„Lass uns beten", erwiderte ich. „Wir wollen sehen, dass Gott ein Wunder tut und du zu deinem Geld kommst."

Ich betete, dass Daniel Geld erhalten würde, um Vahram seine letzten 300 Franken zurückzuzahlen. Dabei vereinbarten wir, Daniel nichts davon zu sagen. Wir würden auf Gott vertrauen und gespannt warten, wie das Geld kommen würde.

Keine fünf Minuten später überraschte uns Daniel mit der Mitteilung, dass ein Kunde einen ziemlich grossen Betrag eingezahlt hatte. Mit einem Blick auf Vahram sagte er: „Du brauchst diesen Monat die 300 Franken nicht zur Beteiligung an unsere Haushaltskosten zu geben. Wir schulden dir diesen Betrag ja noch."

Vahram und ich sahen uns überrascht an. Manchmal beantwortet Gott unsere Gebete sehr schnell.

Im September 2010 wollten wir ein Fest organisieren, um drei Dinge zu feiern: Ich wurde 45 Jahre alt, war 10 Jahre in der Schweiz und 5 Jahre mit Daniel verheiratet. Wir entschieden, dass dies Grund genug war, um einige Freunde einzuladen und eine spezielle Feier zu machen. Wir begannen uns also Gedanken darüber zu machen, wo und wann wir das Fest durchführen würden.

Eine leise Ahnung begann sich in meinem Herzen zu formen – könnte es sein, dass diese Feier eine Vorbereitung auf eine gemeinsame Reise nach Armenien ist? Im Gebet hatte ich nämlich von Gott schon Sein Reden vernommen, dass Er mir sagte: „Geh in dein Land und erzähle den Menschen, was Ich in deinem Leben vollbracht habe!"

Bei einem Frauentreffen auf dem Hartlisberg bei Steffisburg, einem wunderschönen Ort, kam in mir der Wunsch auf, an genau dieser Stelle die Feier zu machen. Tatsächlich konnte ich dort einen geeigneten Raum reservieren. Bei besagtem Frauentreffen hatte ich Kontakt geknüpft mit einer Frau, welche mir in der Folge eine sehr gute Freundin wurde. In vielen Dingen hat sie mir sehr geholfen. Sie machte mich beispielsweise mit einer Anbetungsband bekannt.

Eine solche Band wünschte ich mir auch für mein Fest. Meine Frage, ob sie denn nicht kommen und die Feier begleiten könnte, nahm die Frau sehr positiv auf und sagte, dass sie mit den anderen Bandmitgliedern sprechen und über der Sache beten werde. Und tatsächlich sagte die Band zu. Sie wollten an der Feier spielen und damit vor allem eine geistliche Atmosphäre schaffen – und dies alles als Geschenk!

Schliesslich hatten wir ein sehr schönes Fest, wo mein Wunsch, Gott für alles zu danken, was er in meinem und auch Daniels Leben getan hatte, vollumfänglich erfüllt wurde. Für mich war dies eine sehr, sehr besondere Feier. Ganz speziell hat mich berührt, dass die Anbetungsband eines meiner Lieblingslieder, „Holy Holy" auf Armenisch sang. Ich hatte damals noch keine Ahnung, welche Pläne Gottes sich während dieses Festes zu verwirklichen begannen.

Einige Wochen nach dem Fest hatte ich plötzlich einen Gedanken, der mir keine Ruhe mehr liess. War er von Gott? Je mehr ich darüber betete, desto mehr schien es mir, als würde Gott mir sagen, dass wir noch mehr mit dieser Anbetungsband zu tun haben würden. Vor meinem inneren Auge sah ich mich bereits mit ihr zusammen in Armenien, wo wir einen gemeinsamen Dienst tun würden.

Noch wusste ich nicht einmal, ob sie überhaupt bereit waren, nach Armenien zu reisen, und schon sprachen sie von Planung, Warten und sogar jahrelanger Vorbereitung. Doch schon bald war ich überrascht, wie sich diese Leute wirklich mit dem Thema auseinanderzusetzen begannen. Sie holten Informationen über

Armenien ein und waren auch bereits dabei, ihr Anliegen eines Armenieneinsatzes unter die Leute zu bringen.

Obgleich die Mitglieder der Anbetungsband im Berner Seeland, mehr als 50 Kilometer von Thun entfernt, lebten, hatten sie doch plötzlich Menschen aus meiner Gegend, mit welchen sie in freundschaftlichem Kontakt standen, über ihr Vorhaben informiert. Ich staunte sehr, als plötzlich wildfremde Menschen Interesse an diesem Einsatz in Armenien zeigten.

Da war beispielsweise Claudia, eine Frau aus der Region Thun, die von einem Mitglied der Band von dem geplanten Einsatz in Armenien gehört hatte. Irgendwie hatte dieser Plan, so unkonkret er damals auch war, ihr Interesse geweckt. Eigentlich hatte sie eine Leidenschaft für Afrika und ein ehemals sowjetisches Land hatte bislang nie Begeisterung in ihr wecken können. Doch jetzt beschäftigte der Gedanke an Armenien sie andauernd. Eines Tages traf sie einen Türken, der sie auf ein Buch hinwies, das sie unbedingt lesen sollte. Sie war überrascht, wie dieser Mann, der ihr fremd war, sie geradezu mit einem Buchtipp bedrängte.

Als sie sich das Buch dann näher anschaute, war sie noch überraschter: Der Autor war Demos Shakarian. Der Türke fuhr fort, ihr zu erzählen, wie das Buch sein Leben berührt habe.

„Weisst du", sagte er. „Wir Türken haben den Armeniern sehr viel Leid zugefügt und es ist wichtig, dass hier Versöhnung geschehen kann. Lies das Buch, es ist wichtig!" So redete der Mann auf Claudia ein. Er war begeistert und begann Claudia richtig anzustecken – auch wenn sein Auftritt für sie etwas irritierend war.

Dann war der Türke auch wieder aus ihrem Leben verschwunden. Tatsächlich stellte sie dann fest, dass ihr die Leiterin der Band genau dasselbe Buch vor einiger Zeit bereits geschenkt hatte. Damals hatte sie jedoch nicht gewusst, was sie damit anfangen sollte, und hatte es einfach mal zur Seite gelegt. Doch jetzt war ihr Interesse dafür geweckt.

In Claudia begann eine Leidenschaft für Armenien zu wachsen, wie sie es nicht für möglich gehalten hatte. Noch immer stand sie auch mit der Anbetungsband in Kontakt, von deren Mitgliedern sie hin und wieder etwas von mir hörte. Bis dahin hatten wir uns jedoch noch nie getroffen. Und ich hatte überhaupt keine Ahnung, dass es Claudia überhaupt gab.

Wie war ich überrascht, als eines Tages eine Frau plötzlich auf mich losstürmte: „Bist du Asya? Bist du die Frau aus Armenien?"

„Ja", erwiderte ich, ohne zu wissen, wer da so euphorisch auf mich zukam.

„Ich bin Claudia", stellte sie sich vor. „Und ich habe so viele Fragen." Ich war total überrumpelt. Mit so etwas hatte ich nun wirklich nicht gerechnet. Langsam begann ich zu verstehen, dass Gott dabei war, seine Fäden zu spannen. Claudia erzählte, wie sie von jemandem aus der Anbetungsband zum ersten Mal von mir und vor allem auch von Armenien gehört habe und wie sie sich gewünscht hatte, mich einmal persönlich zu treffen. Sie erzählte mir auch von dem Türken, der sie mit seiner Leidenschaft für Versöhnung mit den Armeniern angesteckt hatte.

„Was ist das denn für ein Türke?" fragte ich.

„Ich habe keine Ahnung. An einer Konferenz ist er mir begegnet, hat mich mit seiner Leidenschaft angesteckt und ist dann wieder verschwunden. Ich habe ihn vorher und nachher nie gesehen."

Das war interessant. Wer war dieser Mann nur? Auch mich hatte die Geschichte dieses Mannes, dessen Volk mein Volk auslöschen wollte, sehr berührt. Es war sehr eindrücklich, wie er sich nach Versöhnung sehnte. Doch leider sahen wir keine Möglichkeit, ihn ausfindig zu machen.

„Claudia", sagte ich trotzdem. „Wir müssen diesen Türken finden. Ich fühle, dass dieser Kontakt für uns sehr wichtig ist."

Ich erinnerte mich an eine frühere Begebenheit, als ich in einem Gottesdienst einen Türken traf. Irgendwie genierte ich mich damals, sprach ihn aber trotzdem an.

„Ich weiss gar nicht, was ich sagen soll. Du bist Türke und ich Armenierin."

„Nein, nein", widersprach er mir. „Wir beide sind Kinder Gottes und durch Jesus verbunden!"

Diese Worte hatten mich tief berührt. Ich fühlte die grosse Kraft von Versöhnung, welche Gott in seine Kinder gelegt hat – selbst dann, wenn es um Versöhnung zwischen einem generationenlangen Hass zwischen zwei Völkern geht.

Irgendetwas in mir sagte mir, dass wir den Türken, den Claudia getroffen hatte, unbedingt wiedersehen mussten.

Gerade dort, wo wir uns trafen, beteten Claudia und ich zusammen und baten Gott, dass wir diesen Türken, dessen Namen wir nicht einmal kannten, wieder treffen würden. Und so gingen wir auseinander.

Eine Woche später rief mich Claudia ganz aufgeregt an.

„Asya, Asya, ich habe den türkischen Mann getroffen!"

„Was!" rief ich erfreut aus. „Wo denn?"

„Ich bin gerade in der Buchhandlung. Er steht gerade neben mir."

„Verlange unbedingt seine Telefonnummer! Ich muss diesen Mann treffen." Natürlich machte Claudia dies, denn auch sie war an diesem Kontakt sehr interessiert.

Und tatsächlich stand er einige Tage später bei uns in der Wohnung. Wir hiessen ihn ganz herzlich willkommen. Als er unter Tränen die Schuld seines Volkes den Armeniern gegenüber bekannte und uns um Vergebung bat, brachen auch bei uns alle Dämme. Ich weinte. Daniel weinte. Wir alle weinten und umarmten uns. Dieser Moment war für uns alle etwas sehr Besonderes. Und ich bin fest davon überzeugt, dass Gott uns an diesem Tag bei uns im Wohnzimmer einen Dienst anvertraut hatte. Wir sollten Versöhnung nach Armenien bringen! Es ist die Versöhnung, die nur Jesus geben kann.

Auch wenn wir noch in der Schweiz waren und ich in diesem Augenblick die einzige Armenierin war, kam doch etwas ins Rollen, dessen Umfang wir bis heute noch nicht richtig erkennen können. Gottes Versöhnung begann mit uns und erfüllte unsere Herzen. Das ging ganz tief und veränderte uns.

Rückblickend danke ich Gott, dass er nicht nur mir sein versöhnendes Herz offenbarte, sondern gleichzeitig auch Daniel. Es schien sogar, dass Daniels Liebe zum armenischen Volk dadurch noch viel grösser wurde als meine Liebe zu meinen Landsleuten. Das war sehr eindrücklich zu beobachten und zeigte mir, dass Gott nicht mir eine Aufgabe übertrug, sondern uns als Ehepaar.

Gott wirkte aber nicht nur an uns, sondern auch an Claudia und vielen anderen, damit wir gemeinsam Armenien dienen sollten.

Es gibt noch viele interessante Geschichten, wie in Menschen um mich herum ein Feuer für Armenien entfacht wurde. Einmal sprach ich einen Pastor darauf an, ob er sich nicht vorstellen könne, einmal nach Armenien zu reisen. Er verneinte. Er habe weder einen Bezug zu diesem Land noch sehe er irgendeine Aufgabe, die er dort zu verrichten habe. Für mich war das Thema damit erledigt. Kurze Zeit später rief er mich an und sagte: „Asya, du hast keine Ahnung, wo ich gerade bin. Ich spreche gerade mit einem Armenier."

„Mach keine Witze", erwiderte ich. „Von uns gibt es nicht gerade sehr viele in der Schweiz."

„Nein, ich mache keine Witze. Gerade bin ich in einem angeregten Gespräch mit einem Armenier und beginne mich zu fragen, ob Gott doch nicht etwas mit mir in diesem Land vorhat."

Ich staunte.

Andere Personen, die von mir oder einer Person der Anbetungsband auf Armenien angesprochen worden waren, kamen in den folgenden Tagen wiederholt in Berührung mit Informationen aus Armenien. Besonders vom Völkermord durch die

Türken, respektive Osmanen, wurden etliche sehr berührt; auch wenn diese Tragödie 100 Jahre zurücklag.

Die Monate vergingen und es formte sich ein starkes Team, welches einen Dienst in Armenien tun wollte. Als wir uns dann das erste Mal als ganze Gruppe trafen, hatten wir eine sehr berührende gemeinsame Gebetszeit. Dabei hatte Daniel eine Vision von einem Pfeil, welcher von uns in Richtung Armenien abgeschossen worden war und sein Ziel gerade erreicht hatte. Der Pfeil war in Armenien angekommen.

Das Statement der Anbetungsband, dass wir eine längere Vorbereitungszeit brauchten, bewahrheitete sich. Diese Zeit war aber alles andere als gut organisiert. Wir machten Pläne, was wir gemeinsam zu welchem Zeitpunkt besprechen wollten – doch es klappte nicht. Immer kam uns irgendetwas dazwischen. Aber jedes Mal, wenn wir zusammenkamen, hatten wir sehr schöne Zeiten und erlebten Gottes Wirken auf ganz besondere Weise.

Und dann kam er, der von mir langersehnte Augenblick, wo wir unser Einsatzdatum festlegten. Im Juni 2014 würden wir als zwölfköpfiges Team nach Armenien reisen.

22. Der Pfeil ist angekommen

Herzlich hiess uns der Hauptpastor in seiner riesigen Kirche willkommen. Er schien sich wirklich zu freuen, dass wir gekommen waren. Aber bereit bei meinem ersten telefonischen Kontakt verspürte ich ein grosses Wohlwollen dieses Pastors. Bis heute kann ich mir den Grund dafür nicht erklären. Es muss Gottes Wirken gewesen sein.

„Wir haben gerade überraschend Besuch erhalten. Der berühmte südkoreanische Pastor Yonggi Cho wird heute im Gottesdienst zu uns sprechen."

Ja, von diesem Pastor hatte ich tatsächlich schon viel gehört und ich freute mich sehr, gerade angekommen zu sein, um ihn einmal live predigen zu hören. Yonggi Cho ist der Hauptpastor einer der grössten Kirche der Welt, welche eine Million Mitglieder hat! Nie hätte ich damit gerechnet, ihn hier in Armenien anzutreffen.

Doch die nächste Ankündigung des armenischen Pastors überraschte mich noch mehr:

„Und in zehn Tagen findet ein Treffen unserer 900 Kleingruppenleiter statt. Ihr seid herzlich willkommen, zu ihnen zu sprechen. Die Bühne steht euch frei. Ihr dürft tun, was ihr wollt."

Mir blieb die Luft weg. Noch nie hatte ich vor einer derart grossen Menschenmenge gesprochen. Darauf war ich nicht vorbereitet und ich hatte auch nicht die geringste Ahnung, was ich diesen Menschen erzählen sollte. Unser ganzes Team war überrascht. Mit einem solchen Einsatz hatten wir wirklich nicht gerechnet.

Wir waren total durcheinander. Nur Daniel und eine Frau unseres Teams waren ruhig, alle anderen zitterten vor Nervosität. Wir wollten doch nur eine Erkundungsreise in Armenien machen, um zu sehen, welche offenen Türen wir antreffen würden. Dass die Türen so weit offenstehen würden, kam nun doch sehr überraschend. Ich fragte mich, wieso Daniel in all dem so ruhig war. Natürlich war er immer viel ruhiger als ich. Aber vor vielen Menschen zu sprechen, lag nicht in seiner Natur. Und doch schien er jetzt völlig gefasst zu sein. Das irritierte mich. Den Grund sollte ich erst noch erfahren.

Vor 20 Jahren hatte ein Prophet aus dem Ausland Daniel angekündigt, dass er einmal vor vielen Menschen vom liebenden Vaterherz Gottes erzählen würde. Kurz vor unserer Abreise nach Armenien segnete uns ein Freund, welcher auch Pastor ist, für unsere Reise. Dabei erinnerte sich dieser plötzlich an diese Prophetie, welche vor 20 Jahren ausgesprochen worden war. Daniel bewegte die Worte in der Folge sehr stark. Der Rest des Teams, inklusive mir selbst, hatte aber keine Ahnung, was in Daniels Herzen vorging.

Kurz nach unserer Ankunft in Armenien verspürte Daniel den grossen Drang, den Menschen von Gottes Liebe zu erzählen. Ganz klar erkannte er, dass die Kirche in Armenien genau an diesem Punkt schwach war. Sie erkannte die unendliche, bedingungslose Liebe des himmlischen Vaters nicht. In Erinnerung an die Prophetie, die er 20 Jahre zuvor erhalten hatte, erhielten seine Beobachtungen für ihn eine spezielle Bedeutung. Hatte er den Armeniern wirklich etwas Wichtiges mitzuteilen? Daniel war immer mehr überzeugt davon.

Eine eindrückliche Begegnung hatte ich in jenen Tagen mit Lewon Minasyan, dem ehemaligen kommunistischen Parteileiter meiner Universität. Damals hatte ich ihn als überzeugten Kommunisten gekannt, der durch seinen freizügigen Lebensstil auffiel. Inzwischen hatte er Jesus in sein Leben aufgenommen und sein Leben war total verändert. Jetzt war er Pastor in einer kleinen Kirche aus demselben Verbund.

Lewon, den wir in den ersten Tagen in Armenien trafen, nahm Daniel beiseite und fragte ihn, ob er denn nicht in seiner Kirche sprechen könne. Da Daniel bereits ein Thema auf dem Herzen brannte, blieb er völlig ruhig und begann, sich innerlich darauf vorzubereiten. Immer deutlicher wurde Daniel bewusst, dass Versöhnung erst dann möglich ist, wenn wir von Gottes Liebe erfasst werden. Erst dann sind verletzte und verbitterte Menschen in der Lage, die bedingungslose Liebe Gottes auch für diejenigen zu erkennen, die ihnen Leid zugefügt haben. Die Liebe überwindet jeden Rachegedanken und jeden Wunsch, dass durch Vergeltung Gerechtigkeit hergestellt wird. Die Botschaft begann in Daniels Herzen zu brennen.

Die Einladung, vor den 900 Leitern zu sprechen, war für Daniel zwar überraschend, letztlich aber nur ein weiterer Schritt, dass sich die alte Prophetie in seinem Leben erfüllen würde.

Der Abend des grossen Anlasses kam. Eine Übersetzerin, welche sich erst später als meine Cousine herausstellte, wurde uns zugeteilt. Nach Gebet und persönlichem Austausch fühlten wir uns innerlich bereit, diese grosse Bühne zu betreten.

Daniel teilte sein Herz mit den Armeniern und wies sie mit Nachdruck auf einen Gott hin, dessen Liebe bedingungslos allen Menschen gilt. Dabei erzählte er auch eine Begebenheit aus seinem Leben, die mir bis zu diesem Zeitpunkt nicht bekannt war. Vor vielen Jahren, am Anfang seines Glaubenslebens, fragte er Jesus, an welchem Ort er von Gott gebraucht werden würde. Und Gott antwortete. Daniel sah plötzlich ganz klar vor seinen inneren Augen den Ausschnitt einer Europakarte. Über die Karte war ein grosser Bogen, wie eine Brücke gelegt. Die Mitte der Brücke lag über der Schweiz. Das eine Ende war Marokko, wo Daniel einige Jahre ein christliches Hilfsprojekt begleitet hatte. Das andere Ende der Brücke war im Osten. Langsam wuchs in Daniel die Überzeugung, dass es sich dabei um Armenien handeln musste.

Als Daniel jetzt auf der Bühne stand, sah er ganz klar. Was ihm Jesus vor vielen Jahren gezeigt hatte, erfüllte sich jetzt vor seinen Augen. Er war in Armenien, dem Ort, wo Gott ihn haben wollte. Und als er dieses Bild jetzt mit all den Menschen teilte, war er sichtlich berührt. „Von der Schweiz, dem Herzen Europas, hat Gott etwas begonnen. Er hat mein Herz berührt. Nachdem mein Dienst in Marokko ein Ende gefunden hat, bin ich jetzt hier." Daniel fuhr fort und erzählte von der Vision, in welcher ein Pfeil aus der Schweiz in Armenien gelandet war. „Gott hat seinen Pfeil der Liebe abgeschossen, welcher Menschen berühren wird. Es ist ein grosses Vorrecht, heute im Auftrag Gottes hier zu sein und all das mit euch zu teilen."

Und die Menschen erkannten sehr wohl, dass Gott hier am Wirken war.

Ich persönlich war natürlich nicht nur von der Liebe Gottes überwältigt, sondern auch von der Tatsache, dass Jesus selbst meinen Daniel über so lange Jahre hinweg für einen Dienst an meinem Volk vorbereitet hatte! An diesem Tag erkannte ich Gottes Vorsehung und erhielt noch einmal eine Bestätigung, dass Gott selbst unsere Ehe gestiftet und einen speziellen Plan für unser Leben hatte.

Als unsere Anbetungsband das Lied „Holy, holy" auf Armenisch sang, wurden viele zutiefst berührt, als sie Gottes Liebe für ihr Leben und auch für ihre Mitmenschen und die umliegenden Völker erkannten. Es drängte sich fast auf, dass wir alle uns erhoben und für Versöhnung beteten.

„Gott hat einen Pfeil aus der Schweiz, nach Armenien geschossen. Wir freuen uns zu sehen, dass er sein Ziel getroffen hat", sagte Daniel.

Von diesem Bild war einer der Pastoren sehr angesprochen. Er kam auf mich zu, um sich zu bedanken. Und dann erzählte er: „Vor Jahren hatte ich einen Traum. Dabei sah ich, wie ein Engel einen Pfeilbogen in der Hand hielt. Er spannte den Bogen und schoss einen Pfeil los, welcher in ein Herz traf. Der Pfeil kam aus dem Himmel und traf mitten ins Herz. Dieses Bild begleitet mich schon seit vielen Jahren und ich fragte mich immer, was Gott mir damit sagen will." Der Mann war sichtlich bewegt.

„Vielen, vielen Dank, dass ihr gekommen seid!" sagte er immer wieder. „Mehr als zehn Jahre lang haben wir uns gefragt, was dieser Traum bedeutete. Heute ist die Bedeutung des Traums offenbart worden."

Wir waren überwältigt!

Die Frage, ob Gott uns wirklich einen Versöhnungsdienst in Armenien gegeben hatte, stellte sich in unserem Team niemand mehr. Äusserlich gesehen, waren wir überhaupt nicht qualifiziert für eine solche Arbeit. Aber Jesus hatte uns gebraucht, etwas zu tun, was viele Herzen wohl andauernd verändert hat. Unsere eigenen auf jeden Fall!

Unsere Zeit in Armenien war für das ganze Team sehr bewegend. Eindrücklich war auch der Besuch beim Denkmal des Genozids. An diesem Ort sollten die Menschen an die Katastrophe denken, als die Jungtürken in der Zeit des ersten Weltkrieges das ganze Volk der Armenier auslöschen wollte. Damals mussten weit über eine Million Menschen ihr Leben lassen. Unzählige flüchteten damals aus Armenien und ihre Nachkommen leben heute überall in der Welt, viele in den USA.

Ganz im Sinne unseres Anliegens der Versöhnung, wollten wir unbedingt einen Abstecher zu diesem Denkmal (Tsitsernakaberd) machen. Dieses besteht aus zwölf Säulen.

Nachdem wir beim Denkmal angekommen waren, sah Daniel plötzlich ein Bild vor sich. Oftmals erlebt er es, dass Gott ihm die Augen öffnet und er Dinge erkennen kann, die seinen natürlichen Augen verborgen sind. Diesmal sah er, wie jedes unserer Teammitglieder unter einer der zwölf Säulen stand und betete.

Sofort begannen mehrere Teammitglieder ihre Eindrücke zu erzählen, welche das Bild von Daniel bestätigten. Mehrere Personen hatten einen Text aus der Bibel auf dem Herzen, während andere von einem gewissen Thema bewegt waren. Während wir nun unsere Gedanken austauschten, wurde immer klarer, dass Gott wollte, dass wir uns zu den Säulen des Denkmals stellen und gemeinsam für Versöhnung beten sollten.

Es war aber so, dass beim Denkmal eigentlich immer Besucher waren. Meistens sogar sehr viele. Also beteten wir um einen ruhigen Moment, wo wir ungestört beten konnten. Und tatsächlich: Auf einmal waren wir mehrere Minuten lang die einzigen

Personen, die sich dort befanden. Unsere Gebetszeit erlebten wir als andächtig, gleichzeitig, aber auch sehr kraftvoll. Es war ein sehr eindrücklicher Moment.

Während wir dort beim Denkmal beteten, vernahm ich Gottes Reden, welcher zu mir sagte: „Hundert Jahre nach dem Genozid wird mit der neuen Generation ein neuer Anfang kommen." Im selben Augenblick, als ich diese Worte vernahm, kam eine Gruppe Erstklässler herein. Alle waren weiss gekleidet. Das weckte bei mir sehr viel Hoffnung. Gott würde durch die heranwachsende Generation, welche rein war, Versöhnung und Veränderung bringen.

Ich glaube, dass wir alle spürten, dass wir durch unsere Gebete einen sehr wertvollen Beitrag zur Versöhnung der beiden Völker leisteten.

Sehr schnell neigte sich unser Aufenthalt in Armenien dem Ende zu. Wir hatten das Land bereist und alle von uns, die zum ersten Mal hier waren, erhielten einen guten Eindruck von Armenien. Doch das Wichtigste, das wir in dieser Zeit erlebten, war die zweifellose Bestätigung Gottes, dass wir den Auftrag hatten, Versöhnung in dieses Land zu bringen. Wir hatten zwar keine Ahnung, wie wir dies tun konnten, hatten aber eindrücklich erlebt, dass Gott selbst die Türen dafür öffnen und uns als seine Werkzeuge gebrauchen wollte.

Gespannt blickten wir in die Zukunft. Was hatte Gott wohl noch mit uns vor?

23. Licht in Armenien

Am 18. Juni 2014 kehrten wir als Team aus Armenien in die Schweiz zurück. Am nächsten Tag, dem 19. Juni, fand in Thun eine viertägige Gebetskonferenz statt, an welcher Daniel und ich teilnahmen.

Es gab verschiedene Angebote. Interessiert war ich, den Verantwortlichen eines Heilungsdienstes für Osteuropa kennenzulernen. Sofort kam ich mit ihm ins Gespräch und sehr schnell landeten wir beim Thema Armenien. In diesem Land gab es bis zu diesem Zeitpunkt keinen derartigen Heilungsdienst. War es unsere Aufgabe, in Armenien einen solchen Dienst anzustossen, zu gründen? Die Arbeit entsprach uns sehr, doch irgendwie ging für uns alles etwas schnell.

Der Vorschlag, erst einmal bei einem solchen Heilungsdienst in Thun mitzuhelfen, schien uns sinnvoll und so stiegen wir in diese Arbeit ein. Es war erstaunlich, wie stark ich Gottes Wirken in diesem Dienst erleben konnte. Ich weiss nicht genau, was der Grund hierfür ist, auf jeden Fall schien Gottes Hand mit uns zu sein.

Dieser Dienst hat eine grosse versöhnende Wirkung zwischen Menschen. Und dieser versöhnende Aspekt begeisterte mich fast noch mehr. Gott hatte uns zu einer Versöhnungsarbeit in Armenien berufen. Diese Versöhnung sollte zwischen Gott und Menschen, zwischen unterschiedlichen Kirchen und christlichen Gruppierungen und auch zwischen Völkern geschehen.

Immer wieder staunten wir, was für Leute kamen, um Gott um Heilung zu bitten. Sogar Muslime kamen! Obwohl sie wussten, dass Jesus der Mittelpunkt dieses Dienstes ist, liessen sie sich dadurch nicht abhalten. Und zuweilen kamen sie dann sogar zu einer lebendigen Beziehung zu Jesus. Das waren wunderbare Erfahrungen!

Daniel und ich freuten uns, ein Teil dieses Dienstes in Thun zu sein, und waren begeistert zu sehen, was Gott tat. Besonders die Versöhnungen zwischen unterschiedlichen Menschen, die wir beobachten konnten, überzeugten uns davon, dass wir genau diesen Dienst auch nach Armenien bringen wollten.

Zur selben Zeit brannte es in uns, unsere Erfahrungen in Armenien mit vielen Menschen zu teilen. Natürlich erzählten wir allen davon, die daran interessiert waren – und dies schienen wirklich viele zu sein. Deshalb fragten wir in verschiedenen Kirchen an, ob sie an einem Vortrag interessiert seien. In diesen Anfragen und den daraus entstehenden Gesprächen, gaben mehrere dieser Pastoren uns den Tipp, einen Verein zu gründen, damit unser Dienst einen offiziellen Charakter erhält. An so etwas hatten wir bislang noch nicht gedacht und schon bald wurde uns klar, dass die Gründung eines Vereins durchaus Sinn ergab, und so begannen wir ernsthaft zu planen.

Das rasend schnelle Tempo, mit welchem unser Dienst rund um unseren Einsatz in Armenien Form angenommen hatte, nahm jetzt langsam an Intensität ab. Der Alltag kehrte ein. Doch wir waren in Bewegung gekommen und es ging beständig vorwärts. Auch wenn wir viel weniger Vorträge halten konnten, als wir es uns gewünscht hatten, knüpften wir doch immer wieder sehr wertvolle Kontakte.

2015 war das Jahr der Erinnerung an den Genozid, welcher 100 Jahre zurücklag. In Bern wurden öffentliche Anlässe durchgeführt, an welchen auch Politiker das Wort ergriffen, um an den schrecklichen Völkermord an den Armeniern zu erinnern. Plötzlich tauchte der Name des kleinen Landes überall auf und ich wurde nicht mehr nur als Flüchtling aus einem kleinen, unbedeutenden Land, sondern als Vertreterin eines Volkes, dem sehr grosses Unrecht widerfahren war, wahrgenommen. Auch unser Einsatz in Armenien und unser Anliegen der Versöhnung zwischen Armeniern und Türken wurde von vielen plötzlich anders bewertet.

Während der vergangenen Jahre war unser Netz von Kontakten immer grösser geworden. Immer wieder stiessen wir auf Personen, die uns auf unserem Weg irgendwie unterstützten.

Da ist beispielsweise Nelly, eine Armenierin, mit welcher wir in Kontakt traten, als sie in der Schweiz eine Konferenz besuchte. Sie spricht hervorragend Deutsch, lebt aber in Armenien. Das Erstaunliche an dieser Geschichte ist, wie viele Kontakte diese Frau in Armenien hatte. Sie kannte viele Pastoren und auch übergeordnete Leiter von Denominationen. Ihr Beziehungsnetz sollte uns noch viele Türen in Armenien öffnen.

Durch die Kontakte, die wir heute vermehrt in Armenien pflegen, werden wir natürlich auch immer wieder mit der Not des Landes konfrontiert. So viele Schwierigkeiten liegen wie ein Hilferuf in unseren Ohren. Als Schweizer haben wir Möglichkeiten, praktisch zu helfen – aber natürlich nur begrenzt. Was ist nun unsere Verantwortung? Was sollen wir tun? Als wir diese Anliegen im Gebet vor Gott brachten, wurde uns klar, dass wir uns um einige Projekte kümmern sollten. Hierzu war es aber nötig, endlich einen Verein zu gründen.

So wurde der Verein Licht in Armenien gegründet. Neben Daniel und mir, war unsere treue Freundin Claudia eine treibende Kraft. Jetzt hatten wir die Möglichkeit, als offizieller Verein aufzutreten und ein Konto zu eröffnen, um Hilfsprojekte in Armenien zu unterstützen.

Mein Herz schlägt höher, wenn ich darüber nachdenke, wie Gott mein bisheriges Leben geführt hat. Er hat die tragischen Jahre in Armenien und meine Flucht in die Schweiz zugelassen, damit er mir hier begegnen, mich verändern und mir wunderbare Leute an die Seite stellen konnte. Ein ganz spezielles Vorrecht für mich ist es, heute einen Dienst für Armenien zu tun, den ich mir früher nie hätte vorstellen können.

Heute sind nicht mehr meine früheren Erfahrungen bestimmend für mich, sondern die Liebe Gottes, die allen Menschen gilt. Jesus half mir, mich mit meiner Vergangenheit zu versöhnen und denen zu vergeben, die mir Böses getan haben. Dadurch erfuhr ich Freiheit – eine Freiheit, selbst diejenigen zu lieben, die mich verletzt haben. Wir sind gespannt, wohin unser Weg noch führen wird.

Wenn ich auf mein Leben zurückblicke, bleibt mir nur zu staunen. Nach einer schönen Kindheit ging es wirklich bergab mit mir. Heute erkenne ich darin einen Gott, der all dies zugelassen hat, damit er mir ein Leben zeigen kann, das viel besser ist als alles, was ich mir in meiner Kindheit vorstellen konnte.

Nur ein Leben mit Jesus Christus ist wahres Leben! Dafür stehe ich heute mit meinem ganzen Sein. Er hat einen Plan für mein Leben und für das Leben eines jeden Menschen auf diesem Planeten. Heute verstehe ich, weshalb ich leben darf. Er hat eingegriffen, dass ich nicht bereits als Säugling ums Leben kam, und Er hat mich seither bewahrt.

Es gibt nichts Besseres, als uns Ihm ganz hinzugeben und dann zu staunen über die Wege, die Er uns führt. Heute staune ich, wie Gott mich in dieser Welt gebraucht, damit Menschen Ihm nahekommen können. Wenn ich die Trümmer meines vergangenen Lebens und auch die vielen Charakterschwächen betrachte, die ich noch immer habe, dann bleibt mir nichts, als Jesus Christus einfach unendlich dankbar zu sein.

Die grösste Tragödie ist, dass sich viele Menschen von Jesus Christus abwenden. Selbst solche, die sich gläubige Christen nennen, können sich weigern, ihr Unvermögen und ihre mangelnde Beziehung zu dem lebendigen Gott zu bekennen. Sie geben sich selbst nicht Gott hin und verpassen dadurch das Wunderbare, das Gott durch sie tun will. Das ist sehr, sehr traurig. Ich wünsche mir nichts mehr, als dass Jesus Christus mein Leben gebraucht, um Versöhnung in diese Welt zu bringen: Versöhnung mit Gott und Versöhnung mit Menschen.

Der **Verein Licht in Armenien** wird in erster Linie von freiwilligen Spendern unterstützt. Sie können die Arbeit des Vereins von Licht in Armenien finanziell unterstützen mit einer Einzahlung auf:

AEK Bank 1826, Hofstettenstrasse 2, 3602 Thun
Verein Licht in Armenien, Buchholzstrasse 74, 3604 Thun
Postkonto: 30381183
IBAN: CH03 0870 4050 6580 6710 9

Informationen (und Link zu Interviews von Fenster zum Sonntag, ERF usw.) unter **www.lichtinarmenien.org**

Kontakt

Falls Sie nach dem Lesen dieses Buches ein persönliches Anliegen haben, eine Nachricht an Asya Kyburz schicken möchten, Asya einmal persönlich treffen oder sie als Rednerin für einen Anlass einladen möchten, dürfen Sie sich gerne direkt an die Autorin wenden:

asya.kyburz@gmail.com
+41 (0)76 332 05 04
www.lebenssinn.live

Lightning Source UK Ltd.
Milton Keynes UK
UKHW020636170921
390736UK00014B/1180

9 783754 345443